Souvenirs d'une
Vampire 2

Aimée

Souvenirs d'une Vampire 2

Aimée

Morgan Rice

Traduit de l'anglais par
Kurt Martin

Éditeur : François Doucet
Traduction : Kurt Martin
Révision linguistique : Daniel Picard
Correction d'épreuves : Nancy Coulombe, Éliane Boucher, Carine Paradis
Conception de la couverture : Mathieu Caron Dandurand
Photo de la couverture : © Thinkstock
Mise en pages : Sébastien Michaud
ISBN papier 978-2-89667-750-4
ISBN PDF numérique 978-2-89683-793-9
ISBN ePub 978-2-89683-794-6
Première impression : 2012
Dépôt légal : 2012
Bibliothèque et Archives nationales du Québec
Bibliothèque Nationale du Canada

Éditions AdA Inc.
1385, boul. Lionel-Boulet
Varennes, Québec, Canada, J3X 1P7
Téléphone : 450-929-0296
Télécopieur : 450-929-0220
www.ada-inc.com
info@ada-inc.com

Diffusion
Canada :   Éditions AdA Inc.
France :   D.G. Diffusion
                  Z.I. des Bogues
                  31750 Escalquens — France
                  Téléphone : 05.61.00.09.99
Suisse :   Transat — 23.42.77.40
Belgique :   D.G. Diffusion — 05.61.00.09.99

Imprimé au Canada

Participation de la SODEC.

Nous reconnaissons l'aide financière du gouvernement du Canada par l'entremise du Fonds du Livre du Canada (FLC)
pour nos activités d'édition.
Gouvernement du Québec — Programme de crédit d'impôt pour l'édition de livres — Gestion SODEC.

LES FAITS :

À Salem, en 1692, une dizaine de jeunes filles, nommées les «possédées», furent atteintes d'une maladie mystérieuse qui les rendit hystériques et les amena, indépendamment l'une de l'autre, à hurler que des sorcières de la région les tourmentaient. Ces accusations entraînèrent le procès des sorcières de Salem.

La maladie mystérieuse ayant frappé ces jeunes filles demeure à ce jour inexpliquée.

« Elle a rêvé cette nuit qu'elle voyait ma statue, semblable à une fontaine, verser du sang tout pur par cent tuyaux. Plusieurs Romains vigoureux venaient en souriant baigner leurs mains dans ce sang. Elle prend tout cela pour des avis et des présages de maux imminents… »

— William Shakespeare, *Jules César*

Chapitre 1

Vallée de l'Hudson, État de New York
(Époque actuelle)

Pour la première fois depuis des semaines, Caitlin Paine se sentait détendue. Elle était confortablement assise sur le sol de la petite grange, où elle s'adossa à une botte de foin en expirant longuement. Un petit feu flambait dans l'âtre de pierre à environ trois mètres d'elle. Elle venait tout juste d'y mettre une bûche, et se sentit rassurée par le crépitement du bois qui flambait. Le mois de mars n'était pas encore fini, et la nuit était particulièrement froide. La fenêtre du mur opposé s'ouvrait sur le ciel noir, et elle put voir que la neige continuait de tomber.

La grange n'était pas chauffée, mais elle se trouvait assez près du feu pour qu'il la réchauffe. Elle se sentait confortablement installée, et ses paupières se firent lourdes. L'odeur du feu envahissait la grange et, comme elle s'inclinait un peu plus, elle sentit la tension de ses épaules et ses jambes se relâcher graduellement.

Elle savait, bien sûr, que son sentiment de sécurité ne provenait pas du feu ni du foin, ni même de la protection offerte par la grange. Ça venait de lui. Caleb. Elle s'assit et l'observa.

Il était allongé à environ cinq mètres d'elle, parfaitement immobile. Il dormait, et elle en profita pour étudier son visage, ses traits admirables, sa peau diaphane. Elle n'avait jamais vu de traits si parfaitement sculptés. C'était surréaliste, comme de regarder une statue. Elle ne pouvait concevoir qu'il ait vécu pendant 3 000 ans. À 18 ans, elle paraissait déjà plus vieille que lui.

Mais il y avait autre chose que les traits. Il y avait comme une expression, une énergie subtile qui émanait de lui. Qui donnait une grande impression de paix. Lorsqu'elle était avec lui, elle savait que tout irait bien.

Elle était simplement heureuse qu'il soit toujours là, encore avec elle. Elle se permit de rêver qu'ils demeurent ensemble. À cette pensée, pourtant, elle ne put s'empêcher de se réprimander, sachant qu'elle s'exposait à de gros ennuis. Les gars dans son genre ne restent pas longtemps dans les parages. Ils ne sont pas faits comme ça.

Caleb dormait si paisiblement, sa respiration était si légère, qu'il lui fut difficile de déterminer s'il était vraiment endormi. Il était sorti plus tôt pour se nourrir, avait-il dit. Il était revenu plus détendu, portant une brassée de bûches. Il avait trouvé un moyen de calfeutrer la porte de la grange, pour repousser la bise neigeuse. Il avait allumé le feu et dormait à présent, tandis qu'elle s'occupait d'alimenter les flammes.

Elle tendit la main et porta la coupe de vin rouge à ses lèvres, prenant une autre gorgée, sentant couler le liquide tiède qui l'aidait à se détendre. Elle avait trouvé la bouteille dans un coffre caché sous une botte de foin. Elle s'était rappelé que son jeune frère, Sam, l'avait cachée là il y avait plusieurs mois, sur un coup de tête. Elle ne buvait jamais, mais ne voyait pas le mal qu'il y aurait à prendre quelques gorgées, surtout après ce qu'elle venait de traverser.

Son journal était ouvert sur ses cuisses. Elle tenait un stylo d'une main, et son verre de l'autre. Cela faisait 20 minutes qu'elle regardait la page blanche. Elle ne savait pas par où commencer. Elle n'avait jamais eu de panne d'écriture auparavant mais, cette fois, c'était différent. Les événements des derniers jours avaient été trop tragiques, trop difficiles à accepter. C'était la première fois qu'elle pouvait s'asseoir avec un sentiment de paix et de détente. La première fois qu'elle se sentait ne fût-ce qu'un peu en sécurité.

Elle décida de tout reprendre du début. Ce qui s'était passé. Pourquoi elle se trouvait ici. Et même qui elle était vraiment. Elle devait assimiler ces choses. Elle ne savait même plus si elle était en mesure de fournir elle-même une réponse à ces questions.

Jusqu'à la semaine dernière, la vie était normale. Je commençais à aimer Oakville. Puis maman est arrivée et nous a

annoncé qu'on déménageait. Encore une fois. Notre vie était chamboulée, comme toujours avec elle.

Cette fois, c'était pire. Ce n'était pas une nouvelle banlieue. C'était New York. La ville. L'école publique et un décor de béton. Et un quartier dangereux.

Ça emmerdait Sam aussi. Nous avons parlé de ne pas y aller, de prendre le large. Mais, en vérité, nous n'avions nulle part ailleurs où aller.

Alors, nous avons suivi. Nous avons secrètement fait le serment de partir si nous n'aimions pas ça. Pour aller ailleurs. N'importe où. Peut-être même pour chercher papa encore une fois. Mais nous savions que ça n'arriverait pas.

Puis, tout est arrivé en même temps. Si vite. Mon corps. Commençant à changer. À se transformer. Je ne sais toujours pas ce qui s'est passé, ni ce que je suis devenue. Mais je sais que je ne suis plus la même personne désormais.

Je me rappelle cette nuit fatale, où tout a commencé. Carnegie Hall. Mon rendez-vous avec Jonah. Et puis… l'entracte. Mon… repas ? J'aurais tué quelqu'un ? Je n'arrive toujours pas à m'en souvenir. Je sais uniquement ce qu'on m'a raconté. Je sais que j'ai fait quelque chose ce soir-là, mais tout est flou. Peu importe ce que j'ai fait, ça me pèse encore sur la conscience. Je n'ai jamais voulu faire de mal à personne.

Le jour suivant, j'ai senti les changements en moi. Je devenais vraiment plus forte, plus rapide, plus sensible à la lumière. Je pouvais également flairer les choses. Les animaux se sont mis à se comporter de façon bizarre en ma présence, et je me comportais aussi étrangement avec eux.

Et puis il y a eu maman. Qui m'a dit qu'elle n'était pas ma vraie mère, et qui a été tuée par ces vampires, ceux qui me pourchassaient. Je n'aurais jamais voulu qu'elle subisse un tel sort. J'ai l'impression que c'est ma faute. Mais, comme pour le reste, je ne peux pas me laisser aller. Je dois me concentrer sur ce qui m'attend, sur ce que je peux contrôler.

C'est alors que j'ai été capturée. Par ces affreux vampires. Et puis, ma fuite. Caleb. Sans lui, je suis certaine qu'ils m'auraient tuée. Ou pire.

Le cercle de Caleb. Son peuple. Si différent. Mais des vampires, tout de même. Territoriaux. Jaloux. Suspicieux. Ils m'ont chassée et ne lui ont pas donné le choix.

Mais il a choisi. En dépit de tout, il m'a choisie. Il m'a encore sauvée. Il a tout risqué pour moi. Je l'aime pour tout ça. Plus qu'il ne le saura jamais.

Je dois l'aider en retour. Il pense que je suis l'Élue, un genre de messie vampire, ou quelque chose comme ça. Il est convaincu que je le guiderai vers une sorte d'épée perdue, qui mettra fin à une guerre de vampires et sauvera tout le monde. Personnellement, je n'y crois pas.

Les siens n'y croient pas. Mais je sais que c'est tout ce qui lui reste, que c'est ce qui donne un sens à sa vie. Et comme il a tout risqué pour moi, c'est le moins que je puisse faire. Pour ma part, l'épée n'a pas d'importance. Je ne veux tout simplement pas le voir partir.

Alors, je ferai tout ce que je peux. De toute façon, j'ai toujours souhaité retrouver mon père. Je veux savoir qui il est vraiment. Qui je suis vraiment. Si je suis vraiment mi-vampire, mi-humaine, ou n'importe quoi. Je veux des réponses. Ne serait-ce que parce que j'ai besoin de savoir ce que je suis en train de devenir...

— Caitlin?

Elle se réveilla tout hébétée. Elle leva les yeux vers Caleb, qui se tenait au-dessus d'elle, la main reposant doucement sur son épaule. Il souriait.

— Je pense que tu t'es endormie, dit-il.

Elle regarda autour d'elle, aperçut son journal qui était resté ouvert sur ses genoux. Elle le referma d'un coup sec. Elle sentit ses joues rougir, espérant qu'il n'ait pas eu le temps de lire. Surtout le passage où elle parlait de ses sentiments à son égard.

Elle s'assit et frotta ses yeux. C'était toujours la nuit, et le feu brûlait toujours, même s'il ne restait surtout que des braises. Il venait probablement seulement de se réveiller lui aussi. Elle se demanda depuis combien de temps elle dormait.

— Désolée, dit-elle. C'est la première fois que je dors depuis des jours.

Il sourit à nouveau, et traversa la pièce en direction du feu. Il y jeta plusieurs bûches, qui crépitèrent joyeusement pendant que le feu reprenait de la vigueur. Elle sentit la chaleur caresser ses pieds.

Il resta là à contempler les flammes. Son sourire s'estompa tandis qu'il se plongeait dans ses pensées. Comme il scrutait les flammes, son visage se couvrit d'une lueur chaude, qui le fit paraître plus séduisant encore, si cela était possible. Ses grands yeux bruns s'écarquillèrent, et leur couleur passa à un vert tendre pendant qu'elle l'observait.

Caitlin s'installa le dos plus droit, et se rendit compte que son verre de vin rouge était toujours plein. Elle prit une gorgée, et se sentit réchauffée. Elle n'avait pas mangé depuis longtemps, et l'effet lui monta rapidement à la tête. Elle aperçut les autres verres de plastique et se rappela les bonnes manières.

— Tu en veux un peu ? demanda-t-elle. Je... je ne sais pas si tu bois... ajouta-t-elle nerveusement.

Il éclata de rire.

— Oui, les vampires aussi boivent du vin, répondit-il avec un sourire.

Il s'approcha pour tenir le verre pendant qu'elle versait le vin.

Elle était surprise. Non par ses paroles, mais par son rire. Il était léger, élégant et semblait s'estomper lentement dans la pièce. Comme pour tout ce qui le concernait, c'était mystérieux.

Elle le regarda dans les yeux, pendant qu'il portait la coupe à ses lèvres, en espérant qu'il lui rende son regard.

Ce qu'il fit.

Ils détournèrent le regard en même temps. Elle sentit le rythme de son cœur s'accélérer.

Caleb retourna dans son coin, s'asseyant sur la paille, se penchant vers l'arrière en la regardant. Il semblait maintenant l'étudier. Elle prit conscience de son propre corps.

Elle passa inconsciemment une main sur ses vêtements, souhaitant pendant un instant avoir eu quelque chose de plus chic. Elle essaya de se rappeler ce qu'elle portait. Quelque part en chemin, elle ne se rappelait plus où exactement, ils s'étaient arrêtés un moment dans une ville quelconque. Elle s'était rendue au seul magasin de la place — un comptoir de l'Armée du Salut —, pour trouver des vêtements de rechange.

Elle baissa le regard avec appréhension, et n'arriva pas à se reconnaître. Elle portait de vieux jeans fripés et délavés, des espadrilles trop grandes pour elle, et un chandail par-dessus un t-shirt. Elle portait aussi un manteau pourpre, auquel il manquait un bouton et qui était décoloré, encore une fois trop grand pour elle. Mais il était chaud. Et c'est ce qu'il lui fallait en ce moment.

Elle prit conscience de son accoutrement. Pourquoi fallait-il qu'il la voie comme ça ? C'était bien sa chance, pour la première fois qu'elle rencontrait un gars qui lui plaisait vraiment, de ne pas pouvoir se faire belle. Il n'y avait aucune salle de bains dans la grange. Et même s'il y en avait eu une, elle n'avait pas de maquillage avec elle. Elle détourna le regard, embarrassée une fois de plus.

— J'ai dormi longtemps ? demanda-t-elle.

— Je ne sais pas. Je viens juste de me réveiller, dit-il en se penchant vers l'arrière et se passant la main dans les cheveux. Je me suis nourri tôt ce soir. Ça m'a vidé.

Elle le regarda.

— Explique-moi, dit-elle.

Il lui rendit son regard.

— Se nourrir, ajouta-t-elle. Voyons, comment tu fais ça? Est-ce que... tu tues des gens?

— Non, jamais, dit-il.

La pièce fut silencieuse pendant qu'il rassemblait ses idées.

— Comme pour tout ce qui touche la race des vampires, c'est assez compliqué, dit-il. Cela dépend du type de vampire qu'on est, et du cercle auquel on appartient. Dans mon cas, je me nourris seulement à partir des animaux. Principalement des cerfs. De toute façon, leur population est trop élevée, et les humains les chassent aussi — et même pas pour manger.

Son visage s'assombrit.

— Mais les autres cercles ne sont pas aussi raffinés. Ils se nourrissent à partir des humains. Habituellement, des indésirables.

— Indésirables?

— Sans-abris, vagabonds, prostituées... ceux dont l'absence ne sera pas remarquée. C'est ainsi qu'il en a toujours été. Ils ne veulent pas attirer l'attention sur la race. C'est pourquoi nous considérons notre cercle, notre race de vampires, comme étant de sang pur, tandis que les autres types sont impurs. L'énergie de ce qu'on mange... se répand en nous.

Caitlin resta assise à réfléchir.

— Et moi ? demanda-t-elle.

Il la regarda.

— Pourquoi est-ce que je ressens une faim pressante parfois, et pas à d'autres moments ?

Son front se plissa.

— Je ne suis pas sûr de la réponse. Pour toi, c'est différent. Tu es une sang-mêlé. C'est une chose très rare... Je sais que tu as atteint la majorité. Les autres sont transformés en une seule nuit. Pour toi, c'est un processus. Il te faudra peut-être du temps pour compléter ta transformation, pour traverser les changements qui te seront particuliers.

Caitlin réfléchit à la question, et se rappela ses crampes causées par la faim, qui la saisissaient à l'improviste. Elle se rappela qu'elle était incapable de penser à quoi que ce soit d'autre que de manger. C'était horrible. Elle redoutait que ça n'arrive encore.

— Comment puis-je savoir quand ça va me prendre à nouveau ?

— Tu ne peux pas, dit-il en la fixant du regard.

— Mais je ne veux pas tuer un humain, dit-elle. Jamais.

— Tu n'as pas besoin de le faire. Tu peux te nourrir à partir d'animaux.

— Et si ça m'arrive alors que je suis prise quelque part ?

— Tu devras apprendre à dominer la faim. Cela vient avec la pratique, et de la volonté. Ce n'est pas facile. Mais c'est possible. C'est une épreuve que doit traverser chaque vampire.

Caitlin se demanda à quoi ça pouvait ressembler de capturer un animal vivant pour s'en nourrir. Elle savait qu'elle était beaucoup plus rapide qu'elle ne l'avait jamais été, mais elle ne savait pas si elle était *suffisamment* rapide. Et elle ne saurait même pas quoi faire si elle capturait réellement un cerf.

Elle lui adressa un regard.

— Est-ce que tu me montreras ? demanda-t-elle, pleine d'espoir.

Il croisa son regard, et elle pouvait sentir battre son cœur.

— Se nourrir est une chose sacrée pour notre race. On le fait toujours seul, dit-il d'une voix douce et sur un ton d'excuse. Sauf...

Il hésita.

— Sauf ? l'interrogea-t-elle.

— Lors des cérémonies de mariage. Pour unir mari et femme.

Il détourna le regard, et elle put le voir changer d'attitude. Elle sentit le sang affluer à ses joues, et la pièce devint soudainement très chaude.

Elle décida de laisser tomber. Elle n'avait pas de crampes d'estomac pour l'instant, et elle pourrait traverser la rivière une fois rendue au pont. Elle espérait qu'il soit près d'elle à ce moment-là.

Ce qui l'intéressait surtout, pour l'instant, ce n'était pas la faim, les vampires, les épées ni rien de tout ça.

Elle voulait en savoir plus sur *lui*. Et surtout, quels étaient les sentiments qu'il éprouvait pour elle. Il y avait tant de questions qu'elle voulait lui poser. *Pourquoi as-tu tout risqué pour moi ? Est-ce seulement pour trouver l'épée ? Ou y a-t-il autre chose ? Une fois que tu auras trouvé l'épée, est-ce que tu resteras avec moi ? Même si les histoires d'amour avec les humains sont interdites, est-ce que tu braveras l'interdit ?*

Mais elle avait peur des réponses.

Alors, elle dit simplement :

— J'espère que nous trouverons ton épée.

Nul, pensa-t-elle. *C'est ce que tu trouves de mieux à dire ? Auras-tu un jour le courage de dire ce que tu penses ?*

Mais son énergie était trop intense. Chaque fois qu'elle était près de lui, ses idées s'embrouillaient.

— Moi aussi, répondit-il. Ce n'est pas une arme ordinaire. Elle est convoitée par notre espèce depuis des siècles. On dit que c'est le meilleur sabre turc jamais fabriqué, fait d'un métal qui peut tuer tous les vampires. Avec lui, nous serions invincibles. Sans lui…

Il hésita, manifestement réticent à exprimer ses inquiétudes.

Caitlin souhaita que Sam soit là, espérant qu'il puisse les conduire à son père. Elle inspecta à nouveau la grange du regard. Il n'y avait aucun signe récent de lui. Elle regretta encore une fois d'avoir perdu son cellulaire sur la route. Les choses auraient été bien plus simples si elle l'avait sur elle.

— Sam se retrouvait tout le temps ici, dit-elle. J'étais certaine de le trouver là. Mais je sais qu'il est revenu dans cette ville. J'en suis certaine. Il n'irait pas ailleurs. Demain, nous irons à l'école, et je parlerai à mes amis. Nous en aurons le cœur net.

Caleb approuva d'un signe de la tête.

— Tu crois qu'il sait où se trouve votre père? demanda-t-il.

— Je... ne sais pas, répondit-elle. Mais je sais qu'il en sait plus que moi sur lui. Il essaie de le retrouver depuis toujours. Si quelqu'un sait quelque chose, c'est bien lui.

Caitlin se replongea dans des souvenirs, évoquant le temps passé avec Sam, ses recherches inlassables, les nouvelles pistes qu'il lui montrait, ses inévitables déceptions. Toutes les soirées où il venait dans sa chambre, pour s'asseoir au coin du lit. Son désir de voir son père l'obnubilait, comme si c'était une chose vivante qui s'était installée en lui, qui prenait le contrôle sur lui. Elle ressentait le même besoin, mais pas de façon aussi intense. D'une certaine façon, c'était sa déception à lui qui faisait le plus de peine à voir.

Caitlin se remémora leur enfance bousillée, tout ce qui leur avait manqué, et se sentit soudainement étouffée par l'émotion. Une larme se forma au coin de ses yeux. Embarrassée, elle l'essuya rapidement en souhaitant que Caleb ne l'ait pas remarquée.

Mais il l'avait remarquée. Il la regarda avec intensité.

Il se leva lentement et vint s'asseoir à côté d'elle. Il était si près ; elle pouvait sentir son énergie. Elle était intense. Le cœur de Caitlin se mit à battre plus rapidement.

Il passa délicatement un doigt dans ses cheveux, lui dégageant le visage. Puis il glissa le doigt du coin de l'œil jusqu'à sa joue.

Elle garda le visage baissé, fixant le plancher, effrayée de croiser son regard. Elle pouvait sentir qu'il la scrutait.

— Ne t'en fais pas, dit-il d'une voix douce et profonde qui la rassura. Nous trouverons ton père. Ensemble.

Mais ce n'était pas ce qui la tracassait. C'était plutôt lui. Caleb. Ce qui la tracassait était de savoir quand il la quitterait.

Elle se demanda s'il l'embrasserait si elle tournait son visage vers lui. Elle brûlait du désir de sentir le contact de ses lèvres.

Mais elle avait peur de tourner la tête.

Il sembla s'écouler des heures avant qu'elle ne trouve le courage de se tourner.

Mais il était déjà reparti. Il était étendu sur la paille, les yeux fermés, endormi, un tendre sourire posé sur le visage, éclairé par la lueur du feu.

Elle se glissa près de lui et s'allongea sur le dos, posant sa tête à quelques centimètres de l'épaule de Caleb. Ils se touchaient presque.

Et ce «presque» était suffisant pour Caitlin.

Chapitre 2

Caitlin fit coulisser la porte de la grange, et jeta un coup d'œil au décor couvert de neige. La lumière du soleil projetait des reflets blancs partout. Elle porta ses mains à ses yeux, ressentant une douleur qu'elle n'avait jamais connue : ses yeux lui infligeaient une véritable torture.

Caleb vint se tenir à ses côtés, terminant d'envelopper ses bras et son cou d'un matériel mince et transparent. On aurait dit une pellicule de plastique mais, une fois en place, il semblait se dissoudre dans sa peau. Elle ne savait absolument pas de quoi il s'agissait.

— Qu'est-ce que c'est ?

— Une enveloppe pour la peau, dit-il tandis qu'il l'enroulait plusieurs fois autour de ses bras et de ses épaules avec soin. C'est ce qui nous permet de sortir à la lumière du soleil. Sinon, notre peau brûlerait.

Il la regarda par en dessous.

— Tu n'en as pas besoin. Pas encore.

— Comment le sait-on ? demanda-t-elle.

— Fais-moi confiance, dit-il avec un sourire. Tu le sauras.

Il fouilla dans ses poches et en sortit un petit flacon de gouttes pour les yeux. Il pencha la tête en arrière et fit couler plusieurs gouttes dans chaque œil. Il se tourna vers elle.

Il semblait évident qu'elle avait mal aux yeux, puisqu'il posa sa main délicatement sur son front.

— Penche la tête, dit-il.

Elle pencha la tête par en arrière.

— Ouvre les yeux, dit-il.

Une fois qu'elle eut ouvert les yeux, il instilla une goutte dans chaque œil.

Ses yeux lui piquèrent atrocement. Elle referma ses paupières et pencha la tête.

— Ouille, dit-elle en frottant ses yeux. Si tu es fâché contre moi, tu n'as qu'à le dire.

Il sourit.

— Désolé. Ça brûle au début, mais tu t'y feras. La sensibilité disparaîtra dans quelques secondes.

Elle cligna des yeux avant de les frotter. Finalement, elle redressa la tête, et ses yeux ne lui faisaient plus mal. Il avait raison : toute la douleur avait disparu.

— La plupart d'entre nous ne sortent pas durant les heures d'ensoleillement, à moins d'y être obligés. Nous sommes plus faibles le jour. Mais parfois, nous n'avons pas le choix.

Il la regarda.

— Son école, elle est loin ? demanda-t-il.

— Juste une petite marche, dit-elle en prenant son bras pour l'entraîner dans le paysage enneigé. L'école secondaire d'Oakville. C'était aussi la mienne, il y a seulement quelques semaines. Une de mes amies *doit* savoir où il se trouve.

✥

L'école secondaire d'Oakville était toujours comme dans le souvenir de Caitlin. Elle trouvait surréaliste de revenir ici. Elle se sentit comme si elle venait de prendre de courtes vacances avant le retour à la réalité. Elle alla même jusqu'à croire, pendant quelques instants, que les événements des dernières semaines n'étaient qu'un rêve dingue. Elle continua d'imaginer que tout était redevenu normal, comme auparavant. Ça faisait du bien.

Mais lorsqu'elle regarda par-dessus son épaule, apercevant Caleb qui se tenait près d'elle, elle sut que rien n'était normal. S'il y avait quelque chose de plus surréaliste que de revenir ici, c'était d'y revenir avec Caleb à ses côtés. Elle entrerait dans sa vieille école avec cet homme splendide, mesurant plus de 1 m 83, avec de larges épaules musclées, tout habillé en noir, le collet de son manteau de cuir caressant son cou, glissant sous ses cheveux assez longs. On aurait dit qu'il venait de sortir de la page couverture d'un de ces magazines pour adolescentes.

Caitlin essaya d'imaginer la réaction des autres filles lorsqu'elles le verraient avec lui. Cette pensée la fit sourire. Elle n'avait jamais été particulièrement populaire, et les gars ne lui portaient pas vraiment attention. Ce n'est pas qu'elle était impopulaire — elle avait de bonnes amies —, mais elle ne faisait pas partie de la bande la plus populaire non plus. Elle supposa qu'elle se trouvait quelque part au milieu. Malgré tout, elle se rappela avoir été traitée avec mépris par certaines des filles les plus populaires, qui semblaient toutes se tenir ensemble, marchant dans les corridors en levant le nez, ignorant superbement tous ceux et celles qu'elles ne considéraient pas aussi parfaites qu'elles. Peut-être que, cette fois, elles la remarqueraient.

Caitlin et Caleb montèrent les marches et passèrent la grande porte double de l'école. Caitlin jeta un regard en direction de l'horloge : 8 h 30. Parfait. Le premier cours se terminerait à l'instant, et les corridors se rempliraient instantanément. Ils pourraient passer plus facilement inaperçus. Elle n'aurait pas à se soucier des agents de sécurité ou d'une autorisation de circuler.

Au même moment, la cloche retentit et, en quelques secondes, les élèves commencèrent à affluer dans les corridors.

La bonne chose à propos d'Oakville, c'est qu'il y avait un monde de différence avec l'horrible école secondaire de New York. Ici, même lorsque les corridors étaient bondés, il restait toujours beaucoup d'espace pour manœuvrer. De grandes fenêtres occupaient les murs, laissant entrer la lumière et permettant de voir le ciel, et on voyait des arbres partout. C'était presque suffisant pour que cette école lui manque. Presque.

Mais elle en avait assez de l'école. Elle n'était techniquement qu'à quelques mois de la remise des diplômes, mais elle avait l'impression d'avoir davantage appris au cours des dernières semaines qu'elle ne pourrait le faire en restant assise sur les bancs d'école quelques mois de plus pour obtenir son diplôme. Elle aimait apprendre, mais elle serait tout aussi heureuse en n'y revenant jamais.

Pendant qu'ils marchaient dans le corridor, Caitlin chercha des visages connus. Mais il passait surtout des élèves de première et de deuxième. Elle ne voyait aucune de ses collègues de fin de cycle. Mais, pendant qu'ils dépassaient d'autres jeunes, elle fut surprise de lire la réaction sur le visage des filles : chacune fixait littéralement Caleb du regard. Aucune n'essayait de le dissimuler, ou n'était même capable de détourner les yeux. C'était incroyable. C'était comme si elle se promenait en compagnie de Justin Bieber.

Caitlin se retourna et vit que toutes les filles s'étaient arrêtées, continuant de le contempler. Plusieurs s'échangeaient des murmures.

Elle jeta un coup d'œil à Caleb, se demandant s'il avait remarqué. Si c'était le cas, il n'en laissait rien voir, et ne semblait pas du tout s'y intéresser.

— Caitlin ? dit une voix étonnée.

Caitlin se retourna et vit Luisa, qui était une de ses amies avant son déménagement.

— Oh mon Dieu ! s'écria Luisa d'un ton enjoué, en ouvrant ses bras pour étreindre Caitlin.

Avant que Caitlin n'ait pu réagir, Luisa la serrait dans ses bras. Caitlin la serra à son tour. C'était si bon de voir un visage familier.

— Qu'est-ce qui se passe avec toi ? demanda Luisa d'un ton amical et précipité.

Elle agissait toujours ainsi, avec une pointe d'accent hispanique qui laissait penser qu'elle n'était arrivée de Porto Rico que depuis quelques années.

— Je suis si étonnée! Je pensais que tu avais déménagé! Je t'ai envoyé des textos, je t'ai écrit par messagerie instantanée, mais tu n'as jamais répondu…

— Je suis désolée, dit Caitlin. J'ai perdu mon téléphone, et je n'avais pas accès à un ordinateur, et…

Luisa n'écoutait plus. Elle venait de remarquer Caleb, et le fixait, hypnotisée. Sa mâchoire pendait littéralement.

— Qui est ton ami? demanda-t-elle enfin, presque en un murmure.

Caitlin sourit. Elle n'avait jamais vu son amie si nerveuse auparavant.

— Luisa, je te présente Caleb, dit Caitlin.

— Enchanté, dit Caleb en tendant la main avec un sourire.

Luisa continua simplement à le fixer. Puis elle souleva lentement la main, d'un air hébété, manifestement incapable de parler. Elle jeta un coup d'œil à Caitlin, n'arrivant pas à comprendre comment cette dernière avait pu dénicher un tel garçon. Elle voyait Caitlin d'un autre œil, presque comme si elle ne la connaissait même pas.

— Hum…, commença Luisa.

Elle avait les yeux écarquillés.

— Hum… alors… où vous êtes-vous… disons… rencontrés?

Pendant un instant, Caitlin se demanda comment lui répondre. Elle s'imagina dire toute la vérité à Luisa, et sourit à cette pensée. Ça ne marcherait pas.

— Nous nous sommes rencontrés... après un concert, dit Caitlin.

C'était en partie vrai.

— Mon Dieu, quel concert? En ville? Les Black Eyed Peas!? demanda-t-elle d'un seul souffle. Je suis jalouse! Je meurs d'envie de les voir!

Caitlin sourit à la pensée de voir Caleb à un concert rock. D'une façon ou d'une autre, elle ne pouvait se l'imaginer là.

— Heu... pas vraiment, dit Caitlin. Luisa, écoute, je suis désolée de t'interrompre, mais je n'ai pas beaucoup de temps. Je dois trouver Sam. L'aurais-tu vu?

— Bien sûr. Tout le monde l'a vu. Il est revenu la semaine dernière. Il avait l'air bizarre. Je lui ai demandé où tu étais et ce qu'il faisait, mais il n'a rien voulu me dire. Il crèche probablement dans la vieille grange vide qu'il aime tant.

— Non, répondit Caitlin. Nous en arrivons.

— Vraiment? Désolée. Je ne vois pas. Tu sais, il est en deuxième, on ne se croise pas souvent. Vous avez essayé la messagerie instantanée? Il est toujours sur Facebook.

— Je n'ai pas mon téléphone..., commença Caitlin.

— Prends le mien, la coupa Luisa.

Elle déposa vivement son cellulaire dans la main de Caitlin avant qu'elle n'ait eu le temps de finir.

— Facebook est déjà ouvert, il ne reste plus qu'à te connecter.

Bien sûr, pensa Caitlin. *Pourquoi n'y ai-je pas pensé ?*

Caitlin se connecta, entra le nom de Sam dans la fenêtre de recherche, ouvrit son profil et cliqua sur message. Elle hésita, se demandant quoi écrire. Puis elle tapa : « Sam. C'est moi. Je suis à la grange. Viens me rejoindre. Vite. »

Elle cliqua sur *envoyer* et remit le téléphone à Luisa.

Caitlin entendit un brouhaha derrière elle et se retourna.

Un groupe des filles les plus populaires en fin d'études traversait le hall dans leur direction. Elles s'échangeaient des murmures. Toutes regardaient en direction de Caleb.

Pour la première fois, Caitlin sentit une nouvelle émotion s'emparer d'elle. La jalousie. Elle pouvait lire, dans les yeux de ces filles qui ne lui avaient jamais adressé la parole, qu'elles seraient heureuses de lui dérober aussitôt Caleb. Ces filles s'étaient déjà jetées sur tous les garçons de l'école, tous ceux qui les intéressaient. Peu importe qu'ils aient une petite amie ou non. Il ne restait qu'à souhaiter qu'elles ne posent pas les yeux sur *votre* mec.

Et maintenant, elles fixaient toutes Caleb du regard.

Caitlin souhaita, et pria même pour que Caleb soit immunisé contre leurs charmes. Qu'il l'aime toujours. Mais, pendant qu'elle y pensait, elle se demanda pourquoi il ferait ça. Elle était si ordinaire. Pourquoi resterait-il avec elle quand des filles comme celles-là craquaient pour lui ?

Caitlin pria silencieusement pour que les filles passent leur chemin. Juste cette fois.

Mais, évidemment, ce n'est pas ce qu'elles firent. Son cœur s'accéléra lorsque le groupe se dirigea directement vers eux.

— Bonjour Caitlin, dit l'une des filles d'un ton faussement jovial.

Tiffany. Grande, avec des cheveux blonds raides, des yeux bleus et une silhouette de guêpe. Habillée de la tête aux pieds de vêtements griffés.

— Qui est ton ami ?

Caitlin ne savait pas quoi dire. Tiffany et ses amies ne s'étaient jamais intéressées à Caitlin. Elles n'avaient même jamais regardé dans sa direction. Elle fut même surprise qu'elles sachent qu'elle existe, et connaissent jusqu'à son nom. Et maintenant, elles entamaient une conversation. Bien sûr, Caitlin savait que ça n'avait rien à voir avec elle. Elles convoitaient Caleb. Assez sérieusement pour s'humilier en adressant la parole à Caitlin.

Ce n'était pas bon signe.

Caleb dut sentir l'embarras de Caitlin, parce qu'il se rapprocha d'elle et passa un bras autour de son cou.

Caitlin ne s'était jamais sentie aussi reconnaissante pour un geste dans sa vie.

Dotée d'une nouvelle assurance, Caitlin trouva le courage de parler.

— Caleb, répondit-elle.

— Alors, qu'est-ce que vous faites ici? demanda une autre fille.

Bunny. La réplique de Tiffany. En brune.

— Je pensais, en fait, que tu avais déménagé ou quelque chose du genre.

— Eh bien, je suis de retour, répondit Caitlin.

— Alors, toi, tu es nouveau ici? demanda Tiffany à Caleb. Es-tu en dernière année?

Caleb sourit.

— Oui, je suis nouveau ici, dit-il d'un ton mystérieux.

Une lueur éclaira le regard de Tiffany, parce qu'elle pensait qu'il voulait dire qu'il était nouveau à l'école.

— Super, dit-elle. Il y a une fête ce soir, si tu veux venir. Ça se passe chez moi. C'est seulement pour quelques intimes, mais nous serions heureuses de t'y voir. Et... hum... toi aussi je pense, ajouta Tiffany en jetant un coup d'œil à Caitlin.

Caitlin sentit la colère monter en elle.

— J'apprécie l'invitation, mesdemoiselles, dit Caleb, mais je suis au regret de vous dire que Caitlin et moi avons déjà un rendez-vous important ce soir.

Caitlin sentit son cœur bondir de joie.

Victoire.

En regardant leur mine s'affaisser, comme une rangée de dominos, elle ne s'était jamais sentie accorder une telle importance.

Les filles repartirent en soulevant le nez.

Caitlin, Caleb et Luisa restèrent là, seuls. Caitlin expira longuement.

— Mon Dieu! s'écria Luisa. Ces filles n'adressent jamais la parole à personne. Encore moins pour lancer une invitation.

— Je sais, dit Caitlin, encore ébranlée.

— Caitlin! s'écria soudainement Luisa en agrippant son bras. Je viens de m'en souvenir. Susan. Elle a parlé de Sam. Elle a dit qu'il se tenait avec les Coleman. Je suis désolée, ça vient juste de me revenir. J'espère que ça pourra t'aider.

Les Coleman. Bien sûr. C'est là qu'il devait se trouver.

— Et aussi, continua Luisa du même souffle, nous allons ce soir chez les Frank. Il faut que tu viennes! On s'ennuie tellement de toi. Bien sûr, tu invites aussi Caleb. Ça va être une fête super. La moitié de la classe y sera. Il *faut* que tu sois là.

— Eh bien… je ne sais pas…

La cloche retentit.

— Il faut que j'y aille! Je suis contente que tu sois revenue. Je t'adore. Appelle-moi. Bye! dit-elle en faisant un signe de la main à Caleb.

Elle se retourna aussitôt pour partir rapidement dans le hall.

Caitlin se plut à imaginer qu'elle était revenue dans sa vie ordinaire. Sortant avec ses amies, se rendant à des fêtes, fréquentant l'école, recevant son diplôme. C'était une sensation agréable. Pendant un moment, elle essaya vraiment de refouler les événements de la semaine précédente dans un coin de son esprit. Elle essaya d'imaginer qu'il n'était rien arrivé.

Mais elle regarda par-dessus son épaule et vit Caleb, et la vérité refit surface. Sa vie avait changé. Pour toujours. Rien ne serait plus jamais comme avant. Elle devait l'accepter.

Sans ignorer qu'elle avait tué quelqu'un, et que la police était à sa recherche. Ce n'était qu'une question de temps avant qu'on lui mette la main au collet, peu importe où. Sans compter qu'une espèce entière de vampires était à sa poursuite, pour la tuer. Et sans oublier que l'épée qu'elle recherchait pourrait sauver de très nombreuses vies.

La vie avait changé, et ne redeviendrait plus ce qu'elle était. Elle devait accepter sa condition actuelle.

Caitlin passa sa main sous le bras de Caleb, et le guida vers l'entrée principale. Les Coleman. Elle savait où ils vivaient. Et c'était logique que Sam se retrouve là. S'il n'était pas à l'école, il devait probablement y être en ce moment. C'est là qu'ils devaient se rendre.

En traversant la porte, passant dans l'air frais du dehors, elle s'émerveilla de voir combien il était agréable de sortir à nouveau de cette école secondaire — cette fois pour toujours.

Caitlin et Caleb entrèrent sur la propriété des Coleman. La neige qui recouvrait la pelouse craquait sous leurs pas. La maison elle-même était plutôt modeste — un bungalow rustique sur le bord d'une route de campagne. Mais loin derrière, au fond du domaine, il y avait une grange. Caitlin aperçut toutes les camionnettes déglinguées, garées n'importe comment sur le terrain. Elle vit les traces de pas sur la glace et la neige, et elle sut qu'un bon nombre de personnes s'étaient dirigées vers la grange.

C'est ce que les jeunes faisaient à Oakville — ils se rencontraient dans la grange de l'un ou l'autre. Oakville est une banlieue rurale, ce qui permet de se tenir dans un bâtiment loin de la maison des parents, afin qu'ils ne sachent pas ou ne se préoccupent pas de ce que font les jeunes. C'est beaucoup mieux que de se réunir dans un sous-sol. Vos parents n'entendent rien. Et vous avez une entrée — et une sortie — privée.

Caitlin prit une profonde inspiration en marchant jusqu'à la grange, avant de faire coulisser l'épaisse porte de bois.

La première chose qui la frappa fut l'odeur. Celle de la marijuana. Il y en avait des nuages.

Mélangée à l'odeur rance de la bière. Beaucoup trop de bière.

Puis, ce qui la frappa — plus que le reste — fut l'odeur d'un animal. Elle n'avait jamais eu les sens aussi aiguisés auparavant. La présence de l'animal se manifestait avec force par tous ses sens, comme si elle venait de respirer de l'ammoniac.

Elle regarda vers sa droite et agrandit du regard une zone précise. Là, dans le coin, se tenait un gros rottweiler. Il se redressa lentement, la regarda et gronda. C'était un grondement sourd et guttural. Butch. Elle se souvenait de lui maintenant. Le rottweiler teigneux des Coleman. Comme si les Coleman avaient besoin d'un chien méchant pour ajouter à leur mauvaise réputation.

Les Coleman avaient toujours été un fléau. Trois frères de 17, 15 et 13 ans ; Sam s'était lié d'amitié avec celui de 15 ans, Gabe. Chacun était plus mauvais que le précédent. Leur père les avait quittés il y a un bon moment déjà, et leur mère n'était jamais là. Ils s'élevaient seuls en quelque sorte. Malgré leur âge, ils étaient toujours saouls ou gelés, et séchaient l'école la plupart du temps.

Caitlin était fâchée que Sam les fréquente. Ça ne pouvait donner rien de bon.

Il y avait aussi de la musique en fond sonore. Pink Floyd. *Wish You Were Here.*

Bien sûr, pensa Caitlin.

Il faisait sombre dans la grange, en comparaison avec la lumière étincelante du soleil. Il fallut un certain temps à Caitlin pour s'habituer à la pénombre.

Puis, elle l'aperçut. Sam. Il était assis au centre du canapé usé, entouré d'une douzaine de garçons. Gabe était d'un côté, et Brock de l'autre.

Sam était penché sur une pipe à eau. Il finissait de prendre une bouffée. Il lâcha la pipe et se pencha en arrière, gardant la fumée dans ses poumons. Beaucoup trop longtemps. Puis, il expira enfin.

Gabe lui tapa sur l'épaule, et Sam leva les yeux. Il regarda en direction de Caitlin, l'air complètement défoncé. Ses yeux étaient injectés de sang.

Caitlin ressentit une douleur viscérale. Elle était terriblement déçue. Elle se sentait comme si c'était de sa propre faute. Elle songea à la dernière fois qu'ils s'étaient vus, à New York, et à leur dispute. Elle lui avait crié « *Alors va-t-en !* » d'un ton hargneux. Pourquoi avait-elle été aussi agressive ? Pourquoi n'avait-elle pas eu la chance de se rattraper ?

Maintenant, il était trop tard. Si elle avait bien choisi ses mots, peut-être que tout serait différent à l'heure actuelle.

Elle eut également une bouffée de colère. Contre les Coleman, contre tous les garçons qui traînaient dans la grange, assis sur ces canapés et ces chaises usés, sur des bottes de foin, buvant, fumant, gaspillant leur vie. Ils avaient le droit de gâcher leur vie. Mais ils n'avaient pas le droit d'entraîner Sam. Il valait mieux qu'eux tous. Il avait simplement manqué d'encadrement. Il n'avait pas eu de figure paternelle, n'avait pas reçu d'affection de leur mère. C'était un garçon super, et elle savait qu'il pourrait être le premier de sa classe, si seulement il avait eu un domicile un peu stable. Malheureusement, n'était-il pas trop tard déjà ? Il avait simplement décidé de s'en foutre.

Elle marcha dans sa direction.

— Sam ? l'interrogea-t-elle.

Il lui rendit son regard, sans dire un mot.

Il était difficile de déchiffrer ce qu'il y avait dans ce regard. Était-ce l'effet de la drogue ? Faisait-il semblant de l'ignorer ? Ou n'avait-il vraiment plus aucune affection pour elle ?

Son regard apathique la blessa plus que le reste. Elle s'était imaginé qu'il serait heureux de la revoir, qu'il se lèverait pour la prendre dans ses bras. Mais pas ça. Il semblait s'en foutre totalement. Comme si elle était une étrangère. Jouait-il les durs devant ses amis ? Ou avait-elle vraiment tout fichu en l'air, pour de bon cette fois ?

Il se passa un moment, avant qu'il ne détourne le regard, passant la pipe à eau à l'un de ses amis. Il garda la tête tournée vers ses amis, ignorant délibérément sa sœur.

— Sam ! dit-elle plus fort, son visage s'empourprant de colère. Je te parle !

Elle entendit ses ratés d'amis ricaner, et sentit la colère monter en elle comme une forte marée. Elle commença également à sentir autre chose. Un instinct animal. La colère avait atteint un point où elle devenait presque incontrôlable, et Caitlin eut peur de sortir de ses gonds. Elle n'était pratiquement plus humaine. Elle était devenue une bête.

Ces garçons étaient costauds, mais la force qui se répandait dans ses veines lui assurait de venir à bout de n'importe lequel en un instant. Elle avait beaucoup de difficulté à contenir sa rage, et souhaita être assez forte pour se maîtriser.

Au même moment, le grondement du rottweiler monta d'un cran, tandis qu'il s'approchait d'elle. C'était comme s'il sentait que quelque chose était sur le point de se produire.

Elle sentit une pression délicate sur son épaule. Caleb. Il était toujours là. Il avait dû sentir sa colère monter, le lien animal entre eux deux. Il essayait de l'apaiser, de lui dire de se contrôler, de ne pas éclater. Sa présence la rassura, mais ce n'était pas facile.

Sam se retourna et la regarda enfin. Elle pouvait voir son air de défi. Il était toujours en colère. C'était évident.

— Qu'est-ce que tu veux? dit-il d'un ton sec.

— Pourquoi tu n'es pas à l'école? s'entendit-elle dire d'abord.

Elle ne savait pas pourquoi elle avait dit ça, surtout avec toutes les autres questions qu'elle avait à lui poser. Mais son instinct maternel avait pris le dessus. Et c'est ce qui était sorti.

Encore plus de ricanements. Sa colère monta d'un cran.

— Qu'est-ce que ça peut *te* faire? dit-il. Tu m'as dit de partir.

— Je suis désolée, dit-elle. Ce n'est pas ce que je voulais dire.

Elle était heureuse d'avoir eu une chance de lui dire.

Mais ça ne sembla pas le calmer. Il lui rendit simplement son regard.

— Sam, il faut que je te parle. En privé, dit-elle.

Elle voulait le sortir de cet endroit, le conduire à l'air frais, être seule avec lui, afin qu'ils puissent vraiment parler. Elle ne s'inquiétait pas seulement de leur père, elle s'inquiétait pour lui. Elle voulait qu'ils se parlent, comme ils avaient l'habitude de le faire. Et lui apprendre ce qui était arrivé à leur mère. De la manière la plus douce possible.

Mais elle n'aurait pas cette chance. Elle s'en doutait bien maintenant. Les choses s'envenimaient. Elle sentait que l'énergie était trop néfaste dans cette grange bondée. Trop violente. Elle pouvait sentir qu'elle perdait le contrôle. Malgré la main de Caleb, elle pourrait ne pas être en mesure d'arrêter ce qui la submergeait.

— Je suis bien où je suis, dit Sam.

Elle put entendre ses amis rigoler encore.

— Relaxe ! lui dit un des garçons. T'es trop tendue. Viens t'asseoir. Prends une *puff*.

Il lui tendit la pipe à eau.

Elle se tourna pour le dévisager.

— Tu peux te l'enfoncer où je pense ! s'entendit-elle dire en serrant les dents.

Il y eut du chahut dans le groupe de garçons.

— Oh, touché ! cria l'un d'eux.

Le garçon qui lui avait offert une taffe se redressa. Il était grand et musclé. Elle se rappela qu'il avait été viré de l'équipe de football. Son visage était cramoisi.

— Qu'est-ce que tu viens de me dire, salope ? dit-il une fois debout.

Elle leva le regard. Il était beaucoup plus grand que dans son souvenir, au moins 1 m 98. Elle put sentir la poigne de Caleb se crisper sur son épaule. Elle ne savait pas si c'était parce qu'il l'enjoignait de se calmer ou parce qu'il se mettait lui-même en colère.

La tension monta d'un cran dans la pièce.

Le rottweiler se faufila plus près. Il n'était plus qu'à un mètre environ. Grognant comme un dingue.

— Relaxe, Jimbo, dit Sam à son ami.

C'était le Sam protecteur. Peu importe ce qui arriverait, il la protégerait.

— Elle est chiante, mais ce n'est pas ce qu'elle voulait dire. C'est toujours ma sœur. Laisse tomber.

— C'est *exactement* ce que je voulais dire, cria Caitlin, plus fâchée que jamais. Vous pensez que vous êtes trop cool ? Que vous pouvez geler mon frère ? Mais vous êtes une bande de ratés ! Vous n'allez nulle part. Si vous voulez gâcher votre vie, allez-y, mais laissez Sam en paix !

Jimbo avait l'air plus emporté encore. Il avança vers elle avec un air menaçant.

— Tiens, tiens, qui nous avons là ? Mademoiselle la professeure. Mademoiselle maman. Qui est venue ici pour nous dire quoi faire !

Il y eut un éclat de rire général.

— Tant qu'à y être, venez donc me donner une leçon, toi et ta pédale d'ami !

Jimbo s'avança tout près, leva sa main grosse comme une patte et poussa du doigt sur l'épaule de Caitlin.

Grossière erreur.

La colère de Caitlin explosa, sans qu'elle ne puisse rien y faire. Au moment même où le doigt la touchait, elle agrippait le poignet de Jimbo à la vitesse de l'éclair et le tordait vers l'arrière. Il y eut un craquement sec tandis qu'elle cassait son poignet.

Elle lui remonta le poignet haut derrière le dos et le poussa face première contre le sol.

En moins d'une seconde, il était cloué sans défense sur le sol, face contre terre. Elle posa un pied derrière son cou et le maintint fermement contre le plancher.

Jimbo hurla de douleur.

— Jésus-Christ, mon poignet, mon poignet! La salope! Elle m'a cassé le poignet!

Sam se redressa comme les autres, et observa la scène, abasourdi. Il semblait vraiment secoué. Comment sa sœur avait réussi à terrasser un gars aussi grand, et aussi rapidement, il n'en avait aucune idée.

— Excuse-toi, gronda Caitlin.

Elle était surprise du son de sa propre voix. Gutturale. Comme celle d'un animal.

— Je m'excuse. Je m'excuse, je m'excuse! cria Jim, en pleurnichant.

Caitlin voulait le laisser partir, en rester là, mais une partie d'elle-même ne voulait pas céder. La rage s'était emparée d'elle trop rapidement, trop fortement. Elle ne pouvait en rester là. Sa rage continuait de croître. Elle voulait tuer ce garçon. Ça n'avait aucun sens, mais elle le voulait vraiment.

— Caitlin!? cria Sam.

Elle pouvait entendre la peur dans sa voix.

— S'il te plaît !

Mais Caitlin ne pouvait s'arrêter. Elle allait vraiment tuer ce garçon.

Au même moment, elle entendit un grognement et, du coin de l'œil, elle aperçut le chien. Il bondit comme une flèche, les dents prêtes à s'enfoncer dans sa gorge.

Caitlin réagit instantanément. Elle lâcha Jimbo et d'un même mouvement, captura le chien dans les airs. Elle l'attrapa par le ventre, le souleva et le projeta.

Il vola dans les airs, sur trois mètres, six mètres, avec une telle force qu'il traversa la pièce et le mur de bois de la grange. Le mur se fendit en produisant un bruit violent, tandis que le chien jappait et continuait sa course de l'autre côté.

Tout le monde dans la pièce avait les yeux rivés sur Caitlin. Ils n'arrivaient pas à concevoir ce qu'ils venaient de voir. C'était de toute évidence une manifestation de force et de vitesse surhumaines, et il n'y avait aucune explication logique à tout ça. Ils la regardaient tous, bouche bée.

Caitlin se sentit submergée par l'émotion. La colère. La tristesse. Elle ne savait plus ce qu'elle ressentait, et ne se faisait plus confiance. Elle n'arrivait plus à parler. Il fallait qu'elle sorte. Elle savait que Sam ne la suivrait pas. Il n'était plus le même désormais.

Tout comme elle.

Chapitre 3

Caitlin et Caleb marchaient lentement sur la berge du fleuve. Ce bord de l'Hudson était laissé à l'abandon, parsemé qu'il était d'usines et de parcs de stockage de carburant désaffectés. Le paysage avait un aspect désolé, mais paisible. Caitlin aperçut d'énormes blocs de glace qui flottaient sur le fleuve, se brisant peu à peu en ce jour de mars. Le bruit léger de leurs craquements emplissait l'air. Ils semblaient provenir d'un autre monde, reflétant la lumière d'une étrange manière, tandis qu'une légère brume se levait. Elle avait envie de monter sur un de ces énormes blocs de glace, de s'y asseoir, et de se laisser dériver au gré du courant.

Ils marchaient en silence, chacun se réfugiant dans son monde personnel. Caitlin était embarrassée d'avoir fait preuve d'une telle rage sous les yeux de Caleb. Embarrassée d'avoir été si violente, au point de ne pouvoir maîtriser ce qui lui arrivait.

Elle était aussi confuse du comportement de son frère, de ses fréquentations peu recommandables. Elle ne l'avait jamais vu agir de la sorte auparavant. Elle était confuse d'avoir amené Caleb à la grange. Toute une manière de lui présenter sa famille. Il devait penser de mauvaises choses de Caitlin. Ce qui, plus que le reste, la blessait profondément.

Pire que tout, elle craignait qu'il ne s'en aille. Sam était son meilleur espoir de retrouver son père. Elle n'avait pas d'autres pistes. Autrement, elle l'aurait déjà retrouvé par elle-même, il y a bien des années. Elle ne savait plus que dire à Caleb. Est-ce qu'il partirait maintenant ? Sûrement. Elle ne lui était plus d'aucune utilité, et il devait trouver l'épée. Pourquoi resterait-il avec elle ?

Pendant qu'ils marchaient, elle sentait sa nervosité augmenter, parce qu'elle supposait que Caleb n'attendait que l'occasion de trouver les bons mots, pour lui apprendre qu'il devait partir. Comme toutes les autres personnes dans sa vie.

— Je suis vraiment désolée, dit-elle enfin d'une voix douce, de la façon dont j'ai agi là-bas. J'ai vraiment perdu le contrôle.

— Tu n'as pas à être désolée. Tu n'as rien fait de mal. Tu es en apprentissage. Et tu es très puissante.

— Je suis aussi désolée du comportement de mon frère.

Il sourit.

— S'il y a une chose que j'ai apprise au cours des siècles, c'est qu'on ne peut contrôler sa famille.

Ils continuèrent à marcher silencieusement. Il regardait en direction du fleuve.

— Alors, demanda-t-il finalement, qu'est-ce qu'on fait ?

Il s'arrêta pour la regarder.

— Tu vas partir? demanda-t-elle d'un ton hésitant.

Il sembla se plonger dans ses pensées.

— Connais-tu un autre endroit où pourrait se trouver ton père? Une autre personne qui le connaîtrait? N'importe quoi?

Elle avait déjà examiné ces questions. Elle n'avait rien. Absolument rien. Elle secoua la tête.

— Il doit bien y avoir *quelque chose,* insista-t-il. Creuse encore. Tes souvenirs. As-tu des souvenirs de lui?

Caitlin pensa avec application. Elle ferma les yeux en essayant vraiment de faire remonter des souvenirs à la surface. Elle s'était posé la même question tant de fois. Elle avait vu si souvent son père en rêve qu'elle ne savait plus ce qui tenait du rêve ou ce qui était réel. Elle pouvait réciter par cœur le même scénario, le même rêve récurrent, elle courant dans un champ, lui se trouvant au loin, et s'éloignant davantage au fur et à mesure qu'elle approchait. Mais ce n'était pas lui. Ce n'était qu'un rêve.

Elle avait aussi des réminiscences, des souvenirs d'elle lorsqu'elle était enfant, partant avec lui quelque part. Au courant de l'été, pensait-elle. Elle se rappelait la mer. Qu'il faisait très, très chaud. Mais, encore une fois, elle n'était pas certaine que ce fût bien réel. Le contexte devenait de plus en plus flou. Et elle ne pouvait se rappeler exactement où se trouvait cette plage.

— Je suis désolée, dit-elle. J'aimerais pouvoir te dire que je tiens quelque chose. Si ce n'était pas pour t'aider, ne fût-ce que pour moi alors. Mais je n'ai rien. Je n'ai aucune idée de l'endroit où il pourrait se trouver. Et je ne sais pas comment le retrouver.

Caleb se retourna face au fleuve. Il soupira longuement. Il observa la glace, et la couleur de ses yeux changea à nouveau, pour prendre une teinte gris argenté.

Caitlin sentait que le moment était arrivé. Qu'il se retournerait n'importe quand pour lui apprendre la nouvelle. Qu'il partait. Elle ne lui était plus d'aucune utilité.

Elle voulut presque inventer une histoire, dire un mensonge à propos de son père, inventer une piste quelconque, afin qu'il reste avec elle. Mais elle savait qu'elle ne pouvait faire ça.

Elle avait envie de pleurer.

— Je ne comprends pas, dit Caleb d'une voix douce, en fixant toujours le fleuve. J'étais *certain* que tu étais l'Élue.

Il continua de regarder le paysage en silence. Le temps sembla s'étirer.

— Et il y a autre chose que je ne comprends pas, dit-il en se retournant pour la regarder.

Ses grands yeux l'hypnotisaient.

— Je ressens quelque chose lorsque je suis avec toi. Quelque chose de voilé. Avec les autres, je peux toujours voir les vies que nous avons partagées, toutes les fois où nos routes se sont croisées, dans n'importe quelle vie antérieure. Mais avec toi... c'est obscur. Je ne vois rien. C'est la première fois que ça m'arrive. C'est comme si... on m'empêchait de voir quelque chose.

— Nous ne nous sommes peut-être jamais rencontrés, suggéra Caitlin.

Il secoua la tête.

— Ça aussi, je le verrais. Avec toi, je ne vois rien du tout. Et je ne peux voir quel sera notre futur ensemble. Et ça ne m'est jamais arrivé. Jamais — en 3 000 ans. Pourtant... j'ai l'impression de me souvenir de toi. Je sens que je suis sur le point de voir quelque chose. C'est sur le bord de mon esprit. Mais ça n'apparaît pas. Et ça me rend dingue.

— Eh bien, dit-elle, peut-être qu'il n'y a rien du tout. Je suis ici, en ce moment. Il n'y a peut-être jamais eu rien d'autre, et il n'y aura peut-être jamais rien d'autre.

Elle regretta aussitôt ses paroles. Elle l'avait encore fait, elle s'était encore mis les pieds dans le plat, en disant des choses qu'elle ne pensait même pas. Pourquoi avait-elle dit ça? C'était tout le contraire de ce qu'elle pensait, de ce qu'elle ressentait. Elle aurait voulu dire : *Oui. Je le sens aussi. J'ai l'impression de te connaître depuis toujours. Et que je serai avec toi pour toujours.* Mais, elle l'avait dit de travers. C'est parce qu'elle était nerveuse. Et maintenant elle ne pouvait plus se reprendre.

Mais ça ne sembla pas du tout affecter Caleb. Il se rapprocha, souleva une main, la posa délicatement sur sa joue et ramena ses cheveux vers l'arrière. Il plongea son regard dans le sien, et elle put voir ses yeux changer à nouveau de couleur, passant cette fois du gris au bleu. Il la regardait avec intensité. Le lien que créaient ses yeux était impérieux.

Elle sentit son cœur battre plus fort, et elle sentit un brasier se répandre dans son corps. Elle avait l'impression de perdre le contrôle.

Essayait-il de se rappeler quelque chose ? Allait-il lui dire adieu ?

Ou était-il sur le point de l'embrasser ?

Chapitre 4

S'il y a quelque chose que Kyle déteste plus que les humains, ce sont les politiciens. Il ne peut supporter leur vanité, leur hypocrisie, leur autosuffisance. Il ne peut supporter leur arrogance. Et qui ne repose sur rien. La plupart d'entre eux vivent rarement jusqu'à 100 ans. Il vit, quant à lui, depuis plus de 5 000 ans. Lorsqu'ils parlent de leur « expérience », cela le révolte.

C'était le destin de Kyle d'avoir à les côtoyer, à les croiser tous les soirs lorsqu'il s'éveille et sort de leur repaire sous City Hall pour passer à l'extérieur. Le cercle de Blacktide avait établi ses quartiers profondément sous l'Hôtel de ville de New York plusieurs siècles auparavant, et il avait toujours été en contact étroit avec les politiciens. En fait, la plupart des présumés politiciens qui fourmillaient dans cette salle étaient des membres secrets de son cercle, remplissant leur mandat dans la ville et dans l'État. C'était un mal nécessaire, cette collusion, cette association avec des humains.

Mais il y avait assez de vrais humains parmi ces politiciens pour le faire frissonner. Il ne pouvait supporter qu'ils puissent entrer dans ce bâtiment. Cela lui était particulièrement insupportable lorsqu'ils s'approchaient trop de lui. Tandis qu'il marchait, il en frappa un durement de l'épaule.

— Hé! s'écria l'homme.

Mais Kyle continua à marcher en serrant les dents, se dirigeant vers les grandes portes doubles au bout du corridor.

Kyle les tuerait tous s'il le pouvait. Mais il n'en avait pas le droit. Son cercle devait toujours en référer au Conseil Suprême qui, pour une raison quelconque, les en empêchait. Ils devaient ronger leur frein en attendant d'éradiquer l'espèce humaine une bonne fois pour toutes. Kyle attendait ce moment depuis des milliers d'années déjà, et il ne savait pas combien de temps il pourrait attendre encore. Il y avait eu quelques beaux moments dans l'histoire où ils s'étaient rapprochés de leur but, lorsqu'on leur avait donné le feu vert. En 1350, en Europe, lorsqu'ils étaient parvenus à un consensus et avaient répandu de concert la peste noire. C'était une époque formidable. Kyle sourit à cette pensée.

Il y avait eu d'autres périodes illustres — tel l'Âge sombre, où on leur avait permis de mener une guerre totale dans toute l'Europe, où ils avaient tué et violé des millions de personnes. Le sourire de Kyle s'élargit. C'était parmi les plus beaux siècles de sa vie.

Mais, au cours des derniers siècles, le Conseil Suprême était devenu si passif, si apathique. À croire qu'ils avaient peur des humains. La Seconde Guerre mondiale avait bien montré quelques mérites, mais elle fut trop brève et circonscrite. Il souhaitait quelque chose de plus grandiose. Il n'y avait pas eu d'épidémies majeures, ni de vraies guerres, depuis longtemps. C'est comme si la race des vampires s'était paralysée, effrayée par la croissance démographique et militaire du genre humain.

Maintenant, enfin, elle retrouvait ses moyens. Et comme Kyle passait d'une démarche fière les portes d'entrée, descendant l'escalier pour sortir de City Hall, il marchait comme sur des ressorts. Il accéléra la cadence en se dirigeant vers le port maritime de South Street. Une cargaison très importante l'y attendait. Des dizaines de milliers de caisses contenant des bacilles de peste bubonique, parfaitement conservés et génétiquement modifiés. Ils les avaient entreposés en Europe durant des siècles, les conservant dans des conditions idéales depuis la dernière épidémie. Ils les avaient maintenant modifiés pour les rendre complètement résistants aux antibiotiques. Et ils seraient tous entre les mains de Kyle. Pour en faire ce qu'il souhaitait. Pour déclencher une nouvelle guerre sur le continent américain. Sur son territoire.

Son nom traverserait les âges.

Cette pensée fit rire Kyle aux éclats, bien qu'avec son expression faciale, ce rire sonnait plutôt comme un grognement.

Il devrait bien sûr en référer à son Rexius, le chef suprême de son cercle, mais ce n'était qu'un point de détail. En fait, c'est lui qui dirigerait les opérations. Des milliers de vampires de son propre cercle — et de tous les cercles voisins — seraient sous ses ordres, devraient s'en remettre à lui. Il serait plus puissant que jamais.

Kyle savait déjà comment il allait s'y prendre pour propager l'épidémie : il répandrait un chargement à Penn Station, un à Grand Central et un autre à Times Square. Des interventions parfaitement synchronisées, à l'heure de pointe. Ça devrait donner un bon coup d'envoi. Selon ses estimations, la moitié de la population de Manhattan serait infectée en quelques jours et, en moins d'une autre semaine, tous le seraient. Cette peste se transmettait rapidement, et ils l'avaient conçue de façon à ce qu'elle se transmette de façon respiratoire.

Ces humains pathétiques boucleraient évidemment la ville. Fermant les ponts et les tunnels. Interrompant le trafic aérien et maritime. Et c'est exactement ce qu'il souhaitait. Qu'ils s'emprisonnent eux-mêmes dans la terreur qui allait suivre. Emprisonnés, mourant de la peste. Kyle et ses milliers de serviteurs déclencheraient une guerre vampirique incomparable à tout ce que la race humaine avait pu connaître. En quelques jours seulement, ils se débarrasseraient de tous les New-Yorkais.

Et la ville leur appartiendrait. Pas seulement *sous* terre, mais aussi à la surface. Et ce ne serait que le début, le signal pour chaque cercle dans chaque ville, dans chaque pays, de sonner aussi la charge. En quelques semaines, l'Amérique entière leur appartiendrait, sinon le monde entier. Et Kyle serait l'initiateur de cette révolution. C'est lui qu'on honorerait. Pour avoir installé la race des vampires à la surface du globe pour de bon.

Évidemment, on trouverait toujours une certaine utilité pour les humains restants. On pourrait réduire les survivants en esclavage, les enfermer dans de gigantesques fermes d'élevage. Kyle en serait ravi. Il s'assurerait qu'ils deviennent tous bien gras et bien dodus, et ainsi, quand un membre de sa race aurait faim, il trouverait une très grande variété de choix au menu. Des sujets bien mûrs. Oui, les humains feraient de bons esclaves. Et un mets délectable, si on les élevait correctement.

Kyle saliva à cette pensée. Une période faste s'ouvrait devant lui. Et rien ne se dresserait sur son chemin.

Rien, sauf ce satané cercle Blanc, retranché sous les Cloîtres. Oui, il y avait une épine à son pied. Mais elle n'était pas si importante. Une fois qu'il aurait trouvé cette horrible fille, Caitlin, et ce traître, ce renégat de Caleb, ils le conduiraient à l'épée. Et alors, le cercle Blanc serait sans défense. Plus rien ne se dresserait sur leur chemin.

Kyle sentit une bouffée de colère l'envahir à la pensée de cette stupide petite fille qui s'était échappée de ses filets. Elle l'avait ridiculisé.

Il bifurqua en direction de Wall Street, et un passant, un grand costaud, eut la malchance de croiser son chemin. Comme ils se croisaient, Kyle le bouscula de l'épaule en y mettant toute son énergie. L'homme recula en trébuchant sur une grande distance, avant de frapper un mur.

L'homme, qui portait un complet chic, s'écria :

— Hé, mec, c'est quoi ton problème!?

Mais Kyle lui répondit par un rictus, et l'expression de l'homme changea complètement. À 1 m 96, avec ses larges épaules et ses muscles saillants, Kyle n'était pas le genre d'homme qu'on s'amuse à défier. L'autre, en dépit de sa propre taille, se retourna et disparut rapidement. Il valait mieux.

Le fait d'avoir bousculé cet homme l'avait soulagé un peu. Mais Kyle sentait toujours la rage bouillonner en lui. Il allait retrouver cette fille. Et la tuer à petit feu.

Mais ce n'était pas l'heure. Il devait cesser d'y penser. Il avait des choses plus urgentes à régler. La cargaison. Le quai.

Oui, il prit une grande inspiration, et retrouva graduellement le sourire. La cargaison n'était qu'à quelques coins de rue.

Pour lui, c'était comme le jour de Noël.

Chapitre 5

Sam se réveilla avec une atroce migraine. Il ouvrit un œil et comprit qu'il s'était évanoui sur le plancher de la grange, dans la paille. Il faisait froid. Aucun de ses amis n'avait pris la peine d'allumer le feu la veille. Ils étaient tous trop défoncés.

Pire, la pièce continuait de tournoyer. Sam souleva la tête, en sortant un brin de paille de sa bouche, et sentit une douleur horrible à ses tempes. Il avait dormi dans une posture peu adéquate, et son cou le fit souffrir lorsqu'il tourna la tête. Il se frotta les yeux, mais ses paupières restaient irrésistiblement collées. Il avait vraiment exagéré hier soir. Il se rappelait la pipe à eau. Puis la bière, le Southern Comfort, et encore de la bière. Il avait ensuite vomi. Puis encore du pot, pour faire passer tout ça. Il avait perdu la carte, durant la nuit. Il ne pouvait se rappeler ni où ni quand.

Il était affamé, mais avait aussi la nausée. Il sentait qu'il pourrait manger une pile de crêpes et une douzaine d'œufs, mais il sentait aussi qu'il les dégueulerait aussitôt. En fait, il se sentait sur le point de vomir déjà.

Il essaya de rassembler ses souvenirs de la journée précédente. Il se rappela Caitlin. Ça, il ne pouvait l'oublier. C'est ce qui l'avait mis à l'envers. Elle était venue ici. Elle avait écrasé Jimbo comme ça. Et le chien. Eh merde ! Est-ce que ça s'était vraiment passé ?

Il regarda derrière lui et vit le trou dans le mur, où le chien l'avait traversé. Il sentit l'air froid qui entrait par là, et savait que ça s'était vraiment produit. Il ne savait pas quoi en penser. Et le type qui était avec elle ? Il ressemblait à un secondeur de la NFL, mais il était blême comme un cadavre. On aurait dit qu'il sortait tout droit du film *La Matrice*. Sam n'était même pas capable de dire son âge. Ce qui était le plus étrange, c'est que Sam croyait l'avoir déjà rencontré quelque part.

Sam regarda autour de lui et vit tous ses amis qui étaient tombés dans les pommes dans diverses positions. La plupart ronflaient. Il ramassa sa montre sur le plancher. Il vit qu'il était 11 h. Ils dormiraient encore un petit bout de temps.

Sam traversa la grange et attrapa une bouteille d'eau. Il était sur le point d'y boire, lorsqu'il remarqua qu'elle était pleine de mégots. Dégoûté, il la jeta par terre. Il en chercha une autre. Du coin de l'œil, il aperçut un pot à moitié vide sur le plancher. Il le saisit et but goulûment, jusqu'à ce qu'il ait avalé la moitié du contenu.

Il se sentit mieux. Sa gorge était si sèche. Il respira profondément et porta une main à sa tempe. La pièce tournoyait toujours. Ça sentait mauvais. Il fallait qu'il sorte.

Sam traversa la pièce et ouvrit la porte de la grange. L'air froid du matin lui fit du bien. Par chance, le ciel était nuageux. La lumière était quand même cinglante et lui fit plisser les yeux. Mais ce n'était pas aussi désagréable que ça aurait pu l'être. Il neigeait encore. Super. Encore de la neige.

D'habitude, Sam aimait la neige. Surtout les jours de tempête, lorsque l'école était fermée. Il se rappela qu'il montait avec Caitlin au sommet de la colline et qu'ils faisaient de la luge une partie de la journée.

Mais aujourd'hui, il séchait les cours la plupart du temps, et ça ne faisait aucune différence. Ce n'était qu'un gros emmerdement.

Sam fouilla dans ses poches et en sortit un paquet de cigarettes aplati. Il en glissa une dans sa bouche et l'alluma.

Il savait qu'il ne devrait pas fumer. Mais tous ses amis fumaient, et ne cessaient de l'inciter à le faire. Il s'était finalement dit : *pourquoi pas ?* Il avait commencé quelques semaines plus tôt. Maintenant, il commençait à aimer ça. Il toussait davantage, et il avait déjà des douleurs thoraciques, mais il se disait : *qu'est-ce que ça peut faire ?* Il savait que ça le tuerait. Mais il ne se voyait pas vivre si vieux que ça de toute façon. Il ne l'avait jamais pensé. Dans un recoin de son esprit, il avait toujours cru qu'il n'attendrait pas 20 ans.

Maintenant qu'il retrouvait ses esprits, il se rappela les événements de la veille. Caitlin. Il se sentait mal. Très mal. Il l'aimait. Il l'aimait vraiment. Elle avait fait tout ce chemin pour venir le voir. Pourquoi lui avait-elle parlé de leur père? S'était-il imaginé tout ça?

Il ne pouvait croire qu'elle soit ici. Il se demanda si leur mère avait paniqué en la voyant partir. Ça devait. Il pensa qu'elle devait s'énerver en ce moment même. Essayant de retrouver leur piste. Et puis, peut-être pas. Quelle importance? Elle les avait fait déménager une fois de trop.

Mais Caitlin. C'était différent. Il n'aurait pas dû la traiter de cette manière. Il était juste trop gelé à ce moment-là. Tout de même, il se sentait mal. Il pensa qu'il souhaitait inconsciemment retrouver une vie normale. Et elle était ce qui se rapprochait le plus de la normalité.

Pourquoi était-elle revenue? Allait-elle s'installer à Oakville? Ce serait génial. Ils pourraient trouver un appartement ensemble. Ouais, plus Sam y pensait, plus l'idée lui plaisait. Il fallait qu'il lui parle.

Sam sortit son cellulaire et vit le clignotant rouge. Il appuya sur l'icône, et vit qu'il avait un nouveau message Facebook. De Caitlin. Elle était à la vieille grange.

Parfait. C'est là qu'il irait.

Sam gara son véhicule, traversa la propriété à pied jusqu'à la vieille grange. La «vieille grange», c'est tout ce qu'ils avaient besoin de se dire. Ils savaient ce que c'était. C'était la place où ils allaient toujours lorsqu'ils vivaient à Oakville. Elle se trouvait au bout d'une propriété avec une maison vide, qui était à vendre depuis des années. La maison restait vide, inoccupée, parce que le prix demandé était beaucoup trop élevé. D'aussi loin qu'ils puissent se le rappeler, personne n'était même jamais venu la visiter.

Et au bout de la propriété, au fond, il y avait une grange vraiment cool, totalement vide. Sam l'avait découverte un jour, et l'avait montrée à Caitlin. Les deux ne voyaient pas le mal qu'il y aurait à se tenir là. Ils détestaient leur petite roulotte, y être coincés avec leur mère. Un soir, ils restèrent très tard dans la grange, discutant et faisant cuire des guimauves dans le foyer vraiment génial. Puis, ils s'endormirent là. Ensuite, ils se retrouvèrent ici à chaque occasion, surtout quand ça allait mal à la maison. Au moins, ils la mettaient à profit. Après quelques mois, ils commencèrent à s'y sentir chez eux.

Sam marcha sur le terrain comme s'il avait des ressorts dans les pieds, tant il avait hâte de voir Caitlin. Il avait maintenant retrouvé toute sa lucidité, surtout après le café format géant de chez Dunkin' Donuts qu'il avait avalé en conduisant jusqu'ici. À 15 ans, il savait qu'il n'avait pas le droit de conduire. En fait, il devait attendre un an ou deux avant d'obtenir son permis, mais il n'avait pas envie d'attendre. Il ne s'était pas fait arrêter jusque-là. Et il savait conduire. Alors, pourquoi attendre? Ses amis lui prêtaient leur camionnette, et ça lui suffisait.

En s'approchant de la grange, Sam se demanda soudain si le mec costaud serait avec elle. Il y avait quelque chose chez ce type… qui ne lui revenait pas. Qu'est-ce qu'il faisait avec sa sœur? Est-ce qu'ils sortaient ensemble? Caitlin lui disait tout. Pourquoi ne lui avait-elle jamais parlé de lui?

Et pourquoi Caitlin s'intéressait soudainement à leur père? Sam s'en voulait, parce qu'il y avait des nouvelles qu'il voulait vraiment lui communiquer. À la suite de l'autre jour. Il avait finalement reçu une réponse à l'une de ses demandes Facebook. C'était leur père. C'était vraiment lui. Il disait qu'ils lui manquaient, et qu'il voulait les revoir. Enfin. Après toutes ces années. Sam avait déjà répondu. Ils avaient commencé à se parler. Et son père voulait le voir, lui. Les voir, tous les deux. Pourquoi Sam ne l'avait-il pas dit à Caitlin? Eh bien, il pourrait au moins lui dire maintenant.

Pendant que Sam marchait, en faisant craquer la croûte de neige sous ses bottes, et que la neige tombait plus dru autour de lui, il commença à se sentir heureux. Avec Caitlin dans les parages, les choses pourraient éventuellement revenir à la normale. Elle était peut-être arrivée au bon moment, pendant qu'il était si embrouillé, pour l'aider à s'en sortir. Elle avait toujours trouvé un moyen de le faire. C'était peut-être sa chance.

Comme il enfonçait sa main dans sa poche pour prendre une autre cigarette, il suspendit son geste. Il pouvait renverser la vapeur.

Sam écrabouilla le paquet et le lança sur l'herbe. Il n'avait pas besoin de ça. Il était plus fort que ça.

Il ouvrit la porte de la grange, prêt à surprendre Caitlin et à la prendre dans ses bras. Il lui dirait qu'il était désolé. Elle serait désolée elle aussi, et tout irait bien à nouveau.

Mais la grange était vide.

— Allô? appela Sam, sachant bien qu'il n'y avait personne.

Il remarqua les braises mourantes dans le foyer, restes d'un feu qui avait été allumé il y a de nombreuses heures. Mais il n'y avait aucun effet personnel, rien qui puisse indiquer qu'ils restaient toujours ici. Elle était partie. Probablement avec ce mec. Pourquoi ne l'avait-elle pas attendu? Pourquoi ne lui donnait-elle pas une autre chance? Ne serait-ce que quelques heures seulement?

Sam eut l'impression de recevoir un poing dans l'estomac. Sa propre sœur. Comme si elle ne l'aimait plus.

Il fallait qu'il s'assoie. Il s'affala sur une botte de foin, et se prit la tête entre les mains. Il sentit sa migraine revenir. Elle l'avait vraiment fait. Elle était partie. Était-ce pour de bon? Au plus profond de lui-même, il sentait que c'était le cas.

Sam prit finalement une grande respiration. Bon.

Il sentit quelque chose se briser en lui. Il était seul. Il savait comment se débrouiller. De toute façon, il n'avait besoin de personne.

— Hé, salut.

C'était une voix féminine, douce et mélodieuse.

Sam leva le regard, en espérant pendant un instant que ce soit Caitlin. Mais il savait déjà, en entendant la voix, que ce n'était pas elle. C'était la plus belle voix qu'il n'ait jamais entendue.

Une fille se tenait à l'entrée de la grange, appuyée de façon décontractée contre le mur. Ouah! Elle était éblouissante. Elle avait de longs cheveux roux ondulés, des yeux verts lumineux. Un corps parfait. Et elle semblait avoir son âge, peut-être un peu plus. Ouah! Elle *fumait*.

Sam se redressa.

Il avait de la peine à y croire mais, à la façon dont elle le regardait, il avait l'impression qu'elle flirtait, qu'elle s'intéressait vraiment à lui. Il n'avait jamais vu une fille le regarder de cette manière. Il ne pouvait croire à sa chance.

— Samantha, dit-elle d'une voix onctueuse.

Elle fit un pas en avant et tendit la main.

Sam s'avança à son tour et prit sa main. Sa peau était si douce.

Était-il en train de rêver? Qu'est-ce que cette fille faisait ici, au milieu de nulle part? Comment était-elle venue jusqu'ici? Il n'avait pas entendu d'auto arriver, ni personne marcher jusqu'à la grange. Et il venait tout juste d'arriver ici. Il ne comprenait pas.

— Sam, répondit-il.

Elle lui adressa un grand sourire, révélant ses dents blanches et parfaites. Son sourire était irrésistible. Sam sentit ses genoux fléchir, tandis qu'elle le regardait directement dans les yeux.

— Sam, Samantha, dit-elle. Ça sonne bien.

Il lui rendit son regard, ayant perdu sa langue.

— Je t'ai vu ici, et j'ai pensé que tu devais avoir froid, dit-elle. Tu veux entrer ?

Sam se creusa les méninges, mais n'arriva pas à comprendre ce qu'elle voulait dire.

— Entrer ?

— Dans la maison, dit-elle en souriant davantage, comme si c'était la chose la plus naturelle du monde. Tu sais, la chose qui a des murs et des fenêtres ?

Sam essaya de comprendre. Elle l'invitait dans la maison ? Celle qui était à vendre ? Pourquoi l'inviterait-elle là ?

— Je viens de l'acheter, dit-elle, comme si elle lisait dans ses pensées. Je n'ai pas eu le temps d'enlever la pancarte *à vendre,* ajouta-t-elle.

Sam était estomaqué.

— Tu as *acheté* cette maison ?

Elle haussa les épaules.

— Il faut bien que je vive quelque part. Je vais à l'école secondaire d'Oakville. Je dois compléter ma dernière année.

Ouah ! Tout s'explique.

Ainsi, elle vivait à Oakville. Elle était en fin de secondaire. Il devrait peut-être retourner à l'école lui aussi. Oh oui ! Si elle y était, alors lui aussi !

— Oui, bien sûr, pourquoi pas, répondit-il du ton le plus décontracté dont il était capable. J'aimerais bien voir l'intérieur.

Ils se dirigèrent donc en direction de la maison. Au passage, Sam retrouva son paquet de cigarettes écrasé. Il le ramassa. Maintenant que Caitlin était partie, qu'est-ce que ça pouvait faire ?

— Alors, tu es nouvelle ici ? demanda Sam.

Il savait que c'était une question stupide. Elle lui avait déjà donné la réponse. Mais il ne savait pas par où commencer. Il n'avait jamais été très doué pour la conversation.

Elle se contenta de sourire.

— En quelque sorte.

— Pourquoi ici ? ajouta-t-il. Je veux dire, sans offenser, ce coin, c'est plutôt banal.

— C'est une longue histoire, répondit-elle d'un ton mystérieux.

Quelque chose le chicotait.

— Attends une minute. As-tu dit que tu avais acheté la maison ? Comme dans *toi* ? Ou voulais-tu dire tes parents ?

— Non, je voulais dire moi. Comme dans *moi*, répondit-elle. Je l'ai achetée moi-même.

Il n'arrivait pas à comprendre. Il ne voulait pas passer pour un idiot, mais il fallait qu'il éclaircisse cette affaire.

— Alors, en fait, la maison est pour toi toute seule ? Donc, tes parents…

— Mes parents sont morts, dit-elle. Je l'ai achetée moi-même. Pour moi. J'ai 18 ans. Je suis une adulte. Je peux faire ce que je veux.

— Ouah, dit Sam, très impressionné. C'est vraiment cool. Une maison entière juste pour toi. Ouah! Je veux dire, désolé pour tes parents… mais je ne connais personne, disons, qui possède une maison à notre âge.

Elle le regarda en face et sourit.

— Et je n'ai pas fini de te surprendre.

Elle ouvrit la porte et le regarda entrer, de son pas enthousiaste.

Il était si facile à mener.

Elle se lécha les babines, sentant une faim sourde surgir dans ses dents antérieures.

Ce serait beaucoup plus facile qu'elle ne le pensait.

Chapitre 6

Caleb et Caitlin se tenaient près du fleuve, leurs regards rivés l'un sur l'autre. Elle tremblait parce qu'elle craignait qu'il soit sur le point de lui dire adieu.

Puis, quelque chose accrocha le regard de Caleb, et son angle de vision changea soudainement. Il regardait l'encolure de Caitlin, et semblait stupéfait.

Il tendit la main, et elle sentit ses doigts glisser sur sa gorge. Elle sentit le métal. Son collier. Elle avait oublié qu'elle le portait.

Il le souleva et le regarda fixement.

— Qu'est-ce que c'est ? demanda-t-il d'une voix douce.

Elle leva le bras et posa sa main sur la sienne. C'était sa croix, sa petite croix d'argent.

— Juste une vieille croix, répondit-elle.

Mais avant qu'elle n'ait fini sa phrase, elle réalisa qu'elle *était* vieille. Elle appartenait à sa famille depuis des générations. Elle ne se rappelait plus qui lui avait donnée, ni quand, mais elle savait qu'elle était ancienne. Et qu'elle venait du côté de son père. Oui. Voilà quelque chose. Peut-être même un indice.

Il l'examinait attentivement.

— Ce n'est pas une croix ordinaire, dit-il. Les bords sont arrondis. Je n'en ai pas vu comme celle-là depuis un millénaire. C'est la croix de saint Pierre.

Il la fixait, comme hypnotisé.

— Comment l'as-tu eue ?

— Je... l'ai toujours eue, dit-elle le souffle coupé, sentant croître son excitation.

— C'est le symbole d'un ancien cercle. Celui de Jérusalem. Un cercle secret, extrêmement puissant. Certains supposent même qu'il n'existe pas. Comment as-tu pu te procurer cela ?

Elle sentait son cœur battre à tout rompre.

— Je ne sais pas. On m'a dit qu'elle appartenait à mon père. Je... je n'y ai même pas pensé.

Il la retourna délicatement, pour regarder l'envers. Ses yeux s'écarquillèrent.

— Il y a une inscription.

Elle fit un signe affirmatif de la tête, s'en rappelant soudainement. Oui. Il y *avait* une inscription. Mais quoi ?

— C'est en grec, je pense, dit-elle.

— Latin, la corrigea-t-il. *Spina rosam et congregari Salem,* lut-il en la regardant, comme s'il attendait une explication d'elle.

Elle n'avait aucune idée de ce que ça signifiait. Elle ne l'avait jamais su.

— Ça dit : *La rose et l'épine se rencontrent à Salem.*

Ils échangèrent un regard.

L'esprit de Caitlin fonctionnait à toute vitesse, cherchant à trouver ce que ça voulait dire. Les yeux de Caleb luisaient d'un intérêt renouvelé.

— C'était à ton père. Assurément. L'inscription est une énigme vampirique ancienne. Il nous indique comment le retrouver. Il nous dit où nous devons nous rendre.

Elle lui rendit son regard.

— Salem?

Il fit un signe affirmatif et solennel de la tête.

Il posa une main sur l'épaule de Caitlin.

— J'ai beaucoup d'affection pour toi. Je ne voudrais pas que tu sois blessée. C'est ma guerre. Je ne veux pas t'y entraîner. Parce que ça va devenir très dangereux, et que tu n'es pas complètement vampire. Tu pourrais être blessée. Tu n'as pas besoin de me suivre, surtout que je sais maintenant où je dois me rendre. Tu m'as déjà aidé plus que tu ne le penses, et je ne saurai jamais assez te remercier pour ça.

Caitlin ressentit un pincement au cœur. Il ne voulait pas l'avoir à ses côtés? Ou bien essayait-il de la protéger? Elle sentait qu'il s'agissait plutôt de la deuxième solution.

— Je sais que j'ai le choix, dit-elle. Alors, je choisis de rester avec toi.

Il l'observa pendant un long moment, avant de faire enfin un signe de tête.

— D'accord, dit-il.

— En plus, ajouta-t-elle en souriant, je ne peux te laisser rencontrer ma famille tout seul.

Chapitre 7

Kyle marchait fiévreusement sur le pavé du port maritime de South Street, accélérant le pas. Il y avait tant d'années qu'il anticipait ce moment.

Il tourna le coin et commença à le voir. Le bateau. *Son* bateau.

Déguisé en voilier historique, monument flottant en provenance d'un pays européen. Il serait arrimé au port maritime pendant une semaine. Que ces humains sont stupides! On peut leur faire gober n'importe quoi. Ils sont crédules au point de ne pas inspecter la cale d'un bateau historique. Qui pourrait pourtant signifier leur perte. Devenir leur cheval de Troie.

Ils se montraient doublement stupides, puisque des touristes bêtes s'agglutinaient autour du bateau, ravis d'avoir ce voilier historique sous le nez. Si seulement ils savaient.

Kyle joua des coudes pour traverser la foule, et se dirigea vers une ruelle. Quatre hommes imposants y montaient la garde. Mais lorsqu'ils l'aperçurent, ils lui adressèrent tous un signe de connivence et libérèrent promptement le passage. C'étaient tous des membres de sa race. Tous habillés en noir et aussi grands que lui. Kyle pouvait sentir la haine qui émanait également d'eux, et cela l'aida à se détendre. Il était bon d'être en compagnie de ses pairs.

Ils firent respectueusement un pas de côté, et Kyle passa entre eux, après quoi ils refermèrent le passage.

Kyle approcha de l'arrière du bateau, qui était caché au public. Plusieurs autres de ses pairs étaient de faction. Lorsqu'ils le virent approcher, ils se mirent aussitôt au travail. Ils abaissèrent une rampe énorme sur le côté de la coque et commencèrent à y faire rouler une caisse énorme, couverte de contreplaqué. Dix hommes firent lentement rouler l'énorme caisse vers le bas de la rampe, puis sur le pavé. Kyle s'en approcha.

— Mon maître, dit un petit vampire dégarni.

Il accourut et s'inclina devant lui.

Cet homme était en nage et semblait très nerveux. Il jetait des regards inquiets dans toutes les directions. Il devait surveiller les agents de police. Il semblait aussi avoir attendu très longtemps. Bien. Kyle adorait faire attendre les gens.

— Tout est ici, continua l'homme d'un même souffle. Nous avons tout vérifié de nombreuses fois. Tout est intact, maître.

— Je veux vérifier, dit Kyle.

L'homme claqua des doigts, et quatre hommes se précipitèrent. Ils utilisèrent des pieds-de-biche pour retirer l'une des planches de bois de la caisse. Ils déchirèrent les nombreuses couches de plastique à toute épreuve.

Kyle s'approcha enfin et tendit la main à l'intérieur. Il sentit une fiole froide en verre, et la retira.

Il la souleva, pour l'examiner sous la lumière d'un lampadaire.

Tel que dans son souvenir. Les bacilles de peste bubonique grouillaient dans sa main, parfaitement intacts. Il esquissa un sourire.

Maintenant, il pouvait déclencher sa guerre.

Kyle ne perdit pas de temps. Quelques heures plus tard, il était à Penn Station, prêt à se mettre au travail. Tandis qu'il traversait la gare, fendant la foule, il sentit monter son agressivité. À cette heure de pointe, il se heurtait aux meutes de gens qui se précipitaient pour aller retrouver leurs petites maisons et leurs familles, leurs maris et leurs femmes, bref, leurs vies pathétiques. Il sentit la haine l'envahir.

S'il y avait quelque chose qu'il détestait plus qu'un humain, c'était une horde d'humains, grouillant en tous sens, s'affairant comme si leurs minables existences avaient une quelconque importance, comme si les quelque 100 ans qu'ils passaient sur terre pouvaient faire la moindre différence. Kyle leur avait tous survécu, et il vivrait longtemps encore, pendant des générations et des générations, pendant des milliers d'années. Même les humains les plus notoires, comme César ou Staline — et son favori, Hitler —, avaient pratiquement sombré dans l'oubli quelque temps après la fin de leur vie. Ils étaient des personnages importants à leur époque, puis furent réduits à néant peu de temps après. Leurs gesticulations frénétiques, le sentiment qu'ils avaient de leur propre importance, tout cela lui donnait la nausée. Il avait envie de tous les tuer. Et c'est ce qu'il ferait.

Mais pas tout de suite.

Kyle avait une chose importante à faire. Une chose *très* importante. Il était flanqué de huit vampires malfaiteurs, et ils marchaient d'un pas très fier en fendant la foule aussi vite qu'il leur était possible. Chacun portait un sac à dos. Chaque sac à dos contenait 300 fioles de peste. Ils se diviseraient en quatre équipes, et chacune d'elle, tels les quatre Cavaliers, répandrait la mort à chaque coin de la gare. Une équipe couvrirait la gare elle-même, une autre l'accès à Grand Central, une autre les lignes de métro A, C et E, et une dernière les lignes de train 1 à 9. Kyle se réserverait le meilleur emplacement pour lui seul : Amtrak. Il sourit en pensant que cette partie propagerait l'épidémie plus rapidement et plus loin que les autres. Il parviendrait peut-être à éliminer d'autres villes du même coup.

Kyle avait d'autres vampires subalternes qui s'affairaient également dans toutes les stations de métro de la ville, à Grand Central et à Times Square.

Kyle fit un signe de la tête, et les équipes se séparèrent immédiatement. Il marcha seul en direction de l'entrée de la 8ᵉ avenue.

Il descendit l'escalier mécanique, marcha jusqu'au bout du quai et continua pour passer dans une zone où il échapperait aux regards. Il sauta rapidement sur la voie ferrée. Lorsqu'il atterrit, des rats se dispersèrent. Ils pouvaient sentir sa présence. Quelle ironie, pensa Kyle. Les rats furent les premiers à propager la peste. Maintenant, ils la fuyaient.

Kyle s'enfonça dans la noirceur du tunnel, restant sur le côté de la voie. Il continua de marcher jusqu'à l'aiguillage où se croisaient toutes les voies. Il fouilla dans son sac à dos et en extirpa une fiole. Il la tint sous un éclairage de sécurité. Il pouvait à peine contenir son enthousiasme. Il posa le sac à dos, y fouilla à deux mains, et se mit au travail.

Après tous ces siècles d'attente, ce n'était maintenant plus qu'une question d'heures.

Chapitre 8

Sam n'en revenait pas de sa chance. Il faisait le tour du propriétaire avec une fille magnifique — en fin de secondaire, rien de moins — qui semblait attirée par lui. Et toute la maison lui appartenait.

C'est comme si un ange était tombé du Ciel directement sur ses genoux. Il n'arrivait pas à y croire. C'était exactement ce qu'il lui fallait, juste au bon moment. Il craignait que sa chance tourne d'un instant à l'autre, et qu'elle lui demande de s'en aller. Mais elle ne semblait pas pressée de lui demander de partir. En fait, elle semblait même vouloir de la compagnie. Et elle ne semblait pas s'inquiéter vraiment de l'avoir aperçu dans sa grange. Elle semblait même plutôt ravie de l'avoir trouvé là. Il ne pouvait y croire. Il n'avait jamais connu une telle chance dans sa vie.

En faisant le tour, il remarqua que la maison était toujours pratiquement vide. Pas de nourriture dans le réfrigérateur, et pas vraiment beaucoup de meubles. Il y avait juste quelques chaises ici et là, et un petit canapé. Ce qui lui apporta une joie secrète, parce qu'il pourrait l'aider. Si elle voulait. Il pourrait l'aider à s'installer, déplacer les choses, acheter de la nourriture, pelleter, tout ce dont elle aurait besoin. Même si elle le laissait seulement s'installer dans sa grange, ce serait cool. Si elle le laissait venir dans la maison, eh bien, ce serait fantastique. Il l'appréciait vraiment. Il était seul. Il s'en rendait compte maintenant. Il aimait vraiment sa présence.

— Et voici le salon, dit-elle en entrant dans la dernière pièce.

Il était vraiment dénudé, pas de toiles au mur, pas de tapis sur le plancher — juste une petite causeuse au milieu.

— Désolée que tout soit encore plutôt vide, dit-elle. Je viens juste d'arriver. Je n'avais pas envie de traîner mes vieilles affaires. Je pense que j'avais besoin d'un nouveau départ.

Sam approuva d'un signe de tête. Il brûlait d'envie de lui poser un tas de questions. Comme : *D'où viens-tu ? Comment tes parents sont-ils morts ? Pourquoi es-tu venue ici ?*

Mais il ne voulait pas paraître trop insistant. Il resta planté là, à faire des signes de la tête, comme un idiot.

Il commençait aussi à se sentir plutôt nerveux. Il la trouvait vraiment attirante, plus que n'importe quelle autre fille qu'il ait connue, et il ne savait pas quoi dire — il avait même peur de parler. Il avait l'impression que, s'il disait quelque chose, ça sortirait tout croche.

— Tu veux t'asseoir ? demanda-t-elle en se dirigeant vers la causeuse où elle prit place.

Tu parles.

Il essaya de ne pas montrer son excitation. Il essaya d'adopter la démarche la plus relaxe dont il était capable, tout en s'approchant pour prendre place à son tour, juste à côté d'elle. C'était une très petite causeuse, et ses jambes frôlèrent les siennes tandis qu'il s'assoyait. Il pouvait humer son parfum, et il sentit le rythme de son cœur s'accélérer. Il avait de la difficulté à garder les idées claires.

Elle croisa les jambes et se retourna pour lui faire face. Elle était assise là, souriant, plongeant son regard dans celui de Sam. Il se demanda pour la millième fois si ce n'était pas un rêve, si ce n'était pas un de ses amis qui lui avait fait une blague.

— Alors, dit-elle, parle-moi un peu de toi.

— Comme quoi? demanda-t-il.

— Est-ce que tu viens d'ici?

Sam réfléchit à sa réponse. Ce n'était pas facile.

— Non, pas vraiment. Mais on pourrait aussi dire que oui, puisque j'ai habité ici plus que partout ailleurs. Nous avons déménagé souvent. Ma famille. Heu... ma sœur, ma mère et moi.

— Et ton père? demanda-t-elle aussitôt.

Sam haussa les épaules.

— Il n'a jamais été là. On m'a dit qu'il est parti lorsque j'étais jeune. Je ne m'en souviens pas vraiment.

— As-tu déjà essayé de le retrouver?

Sam la regarda dans les yeux et se demanda si elle était capable de lire dans son esprit.

— C'est drôle que tu le demandes, dit-il, parce que j'ai vraiment essayé. J'ai toujours voulu savoir. Mais je n'ai jamais rien trouvé. Jusqu'à la semaine dernière.

Les yeux de Samantha s'écarquillèrent. Sam fut surpris de voir l'enthousiasme que cette information créait chez elle. Il ne pouvait pas vraiment comprendre. Pourquoi s'en préoccuperait-elle ?

— Vraiment ? l'interrogea-t-elle. Où est-il ?

— Eh bien, je ne sais pas exactement, mais nous avons parlé sur Facebook. Il dit qu'il veut me voir.

— Alors ! Pourquoi tu ne vas pas le voir ?

— Je veux bien. C'est juste que les choses se sont passées tellement vite. Il faudrait que j'organise un rendez-vous.

— Qu'est-ce que tu attends ? demanda-t-elle avec un sourire.

Sam réfléchit à la question. Elle avait raison. Qu'est-ce qu'il *attendait* ?

— Tu pourrais lui répondre. Organiser un rendez-vous. Tu sais, si tu ne planifies pas les choses, elles risquent de ne jamais se produire. Si j'étais toi, je lui écrirais immédiatement, dit-elle.

Sam la regarda dans les yeux et, en le faisant, il sentit son point de vue changer. Tout ce qu'elle disait était si sensé. C'était vraiment bizarre : il avait l'impression que, chaque fois qu'elle disait quelque chose, ça devenait son idée personnelle. Elle avait raison. Il n'avait pas de temps à perdre.

Il fouilla dans sa poche, prit son téléphone et ouvrit une session Facebook.

Pendant qu'il le faisait, elle se blottit contre lui, appuyant son épaule sur la sienne et regardant le téléphone en même temps que lui. Son cœur se mit à battre à tout rompre. Il adorait la sensation de son épaule contre la sienne. Elle était si douce, et s'ajustait si parfaitement. Il pouvait également sentir ses cheveux, et l'odeur était enivrante. Il avait de la difficulté à se concentrer. Il avait oublié, l'espace d'un instant, la raison pour laquelle il avait pris son téléphone.

Puis, il aperçut le signal d'un nouveau message, et l'ouvrit.

C'était un nouveau message de lui.

Il lut : *Sam, j'aimerais te rencontrer. Nous devrions enfin nous voir. Je sais que tu es occupé avec l'école et tout, mais dis-moi quel est ton emploi du temps ? Je ne peux pas vraiment voyager, avec cette jambe qui me fait souffrir, mais je me demandais si tu pouvais venir me visiter ? Je vis dans le Connecticut.*

Samantha sourit.

— Et voilà, dit-elle.

— Qu'est-ce que je devrais répondre ? demanda Sam.

— Dis oui. Demain, c'est samedi. C'est la fin de semaine. Quel meilleur moment y aurait-il ?

Elle avait raison. Samedi était le meilleur jour. Ouah ! Cette fille n'était pas seulement canon, elle était aussi brillante.

Sam tapa : *O.K. Ça me semble bon. Pourquoi pas cette fin de semaine ? Quelle est ton adresse ?*

Il hésita pendant un moment. Puis il appuya sur *envoyer*. Il se sentait déjà mieux.

— Je suis si heureuse pour toi, dit Samantha avec un sourire. Ouah, c'est si excitant de te rencontrer à un moment aussi magique.

Sam sentit soudainement les doigts fins de Samantha caresser son visage, puis glisser doucement dans ses cheveux. La sensation était puissante. Incroyable. Son cœur battait la chamade, il n'arrivait pratiquement plus à penser.

Il se retourna pour la regarder ; elle lui faisait face maintenant, caressant des deux mains son visage, son cou, ses cheveux. Il ne pouvait détacher son regard de ses grands yeux verts brillants. Il pouvait à peine respirer.

— Tu me plais vraiment, dit-elle.

Sam ouvrit la bouche pour parler, mais elle était trop sèche. Il lui fallut se reprendre plusieurs fois.

— Tu me plais aussi.

Il savait qu'il devrait se pencher pour l'embrasser, mais il était trop nerveux. Il fut soulagé qu'elle se penche et plante ses lèvres sur les siennes.

C'était étourdissant. Le sang afflua à son cerveau, et il pria pour que ce moment ne cesse jamais.

Chapitre 9

Comme Caitlin volait avec Caleb, ses bras s'enroulant autour de lui, aimant le contact de son corps, elle pensa à quel point elle était chanceuse. La journée précédente, elle craignait que Caleb ne lui fasse ses adieux. Maintenant, pour une fois, la chance lui avait souri.

Merci mon Dieu pour ce collier, pensa-t-elle.

Ils arrivèrent à Salem en fin d'après-midi. Il se posa dans un champ vide à l'abri des regards, en périphérie de la ville, afin que personne ne les remarque.

Ils marchèrent en traversant quelques coins de rue, pour se retrouver directement sur la rue principale de Salem.

Caitlin fut surprise. Elle s'était attendue à plus. Elle avait entendu parler de Salem toute sa vie, principalement dans les livres, et toujours en rapport avec les sorcières. Mais elle trouvait plutôt étrange de voir la place réelle, une ville grouillante et ordinaire. Elle se l'était plutôt imaginée parfaitement conservée comme à l'époque, un site historique, presque un décor de cinéma. De voir que des gens normaux, ordinaires et modernes y passaient leurs vies, conduisant, se pressant de-ci de-là, l'avait prise au dépourvu.

Salem ressemblait à n'importe quelle petite banlieue de la Nouvelle-Angleterre. Il y avait quelques magasins de grandes chaînes, les inévitables pharmacies, tout était moderne, et il n'y avait presque aucun signe de ce passé célèbre. La ville était aussi beaucoup plus grande qu'elle se l'était imaginée. Elle ne savait vraiment pas par où commencer pour chercher son père.

Caleb dut penser la même chose qu'elle au même moment, puisqu'il la regarda avec l'air de dire : *par où on commence ?*

— Eh bien, commença-t-elle. Je pense qu'on ne pouvait s'attendre à le rencontrer sur la rue principale, où il nous aurait attendus pour nous prendre dans ses bras.

Caleb sourit.

— Non, je ne m'attendais pas à ce que ce soit aussi facile.

— Alors ? On commence par quoi ? demanda-t-elle.

Caleb la regarda.

— Je ne sais pas, dit-il en fin de compte.

Caitlin se tenait là, réfléchissant. De nombreuses personnes les dépassèrent dans la rue, et certains individus leur adressèrent un regard étrange. Elle observa leur reflet dans la vitrine d'un magasin, et réalisa qu'ils formaient un couple surprenant. Ils ne pouvaient passer inaperçus. Il était si grand, et habillé de façon si élégante, tout en noir. Il ressemblait à une vedette du cinéma, qui aurait atterri en pleine rue. Près de lui, elle semblait plus ordinaire qu'à son habitude.

— On pourrait commencer par ce qui semble le plus évident, proposa-t-elle. Mon nom de famille. Paine. Si mon père vit toujours ici, il est peut-être dans le bottin.

Caleb sourit.

— Tu penses que son numéro est public ?

— Ça m'étonnerait. Mais parfois les réponses les plus évidentes sont les meilleures. De toute façon, ça ne coûte rien d'essayer. Une meilleure idée ?

Caleb fixa le vide. Finalement, il secoua la tête.

— Allons-y, dit-elle.

Pour la millième fois, elle souhaita avoir encore son cellulaire. Cherchant une solution de rechange, elle regarda autour d'elle et repéra un café Internet de l'autre côté de la rue.

Caitlin avait tapé toutes les variantes de « Paine » auxquelles elle pouvait penser, mais sans obtenir le moindre résultat. Elle était contrariée. Ils avaient épluché tous les bottins résidentiels et commerciaux de Salem. Ils avaient essayé Paine, Payne, Pain et Paiyne. Rien. Pas une seule personne.

Caleb avait raison, c'était une idée stupide. Si son père vivait ici, il garderait son numéro confidentiel. Et elle avait le sentiment, compte tenu des pistes énigmatiques qu'ils avaient suivies jusqu'à maintenant, qu'il ne leur aurait pas simplifié à ce point la tâche.

Elle se tourna vers Caleb en soupirant.

— Tu avais raison. Une perte de temps.

— *La rose et l'épine se rencontrent à Salem,* répéta lentement Caleb à plusieurs reprises.

Elle pouvait le voir réfléchir.

Elle avait répété elle aussi la phrase, mais mentalement. Cela faisait du bien de l'entendre à voix haute. Elle l'avait tournée en tous sens, mais n'avait toujours aucune idée de ce que ça voulait dire. Une rose? Une épine?

— Il y a peut-être un jardin de roses quelque part? dit-elle, pensant à voix haute. Et il y a peut-être un indice caché dessous. Ou un endroit qui porte ce nom? ajouta-t-elle. Peut-être un bar ou une vieille auberge qui s'appelleraient *La Rose et l'Épine*?

Caitlin se retourna vers l'ordinateur, et utilisa plusieurs critères de recherche. Elle essaya seulement *rose*. Puis seulement *épine*. Puis *rose* et *épine*. Commerces. Parcs. Jardins publics.

Aucun résultat.

Contrariée, elle ferma l'application.

Ils restèrent assis en silence, continuant de réfléchir.

— Nous abordons peut-être le problème du mauvais angle, dit soudainement Caleb.

Caitlin se tourna vers lui.

— Que veux-tu dire?

— Eh bien, nous cherchons une personne vivante, dit-il, dans le monde actuel. Dans ce siècle. Mais les vampires vivent pendant des *milliers* d'années.

Lorsqu'un vampire donne un rendez-vous à un autre
vampire, il ne pense pas toujours au siècle présent.
Les vampires comptent en siècles, pas en années. Il est
possible que ton père ne soit pas ici en ce moment.
Mais qu'il y soit demeuré. Il y a très longtemps. Nous
ne devons peut-être pas chercher quelqu'un de vivant.
Mais quelqu'un qui a vécu ici à un certain moment. Et
qui est peut-être mort ici.

Caitlin le fixa du regard. Elle avait de la difficulté à
comprendre.

— Mort? Qu'est-ce que tu veux dire? Mon père est
mort?

— C'est difficile pour moi de te l'expliquer, mais il
faut que tu envisages les choses différemment. Les
vampires mènent plusieurs existences. Plusieurs
d'entre nous ont des tombes, même s'ils sont toujours
vivants aujourd'hui. Moi-même, j'ai été enterré sous
plusieurs noms, dans différents cimetières et différents pays. Pourtant, je ne suis pas mort, ni enterré.
Mais à l'époque, les gens de l'endroit avaient besoin
de le croire. Nous devions effacer les preuves, les
convaincre que je ne revenais pas à la vie. Un enterre-
ment et une pierre tombale étaient les seules choses
qui pouvaient les rassurer.

Il continua ainsi :

— La race des vampires n'aime pas attirer l'attention sur elle, et nous n'aimons pas que les humains
sachent que nous sommes revenus. Cela braquerait les
projecteurs sur nous, ce que nous voulons à tout prix
éviter. Alors, parfois, lorsqu'il n'y a pas d'autre choix,

nous les laissons nous enterrer. Puis nous nous éclipsons discrètement, au milieu de la nuit.

Il se tourna pour la regarder.

— Ton père a peut-être été enterré ici. Nous ne devons peut-être pas chercher à la surface, mais sous terre. Nous avons cherché les Paine vivants. Mais nous n'avons pas cherché ceux qui sont morts.

Caitlin était franchement déconcertée tandis qu'ils déambulaient dans le petit cimetière. Elle n'avait jamais mis les pieds dans un endroit aussi ancien. À l'entrée, un grand écriteau portait l'inscription « Cimetière de Salem, inauguré en 1637 ». Elle s'étonna que des gens viennent à cet endroit depuis presque 400 ans.

Elle s'étonna encore plus de voir quelques touristes sillonner le cimetière en ce moment. Elle avait cru qu'ils seraient seuls. Mais, après tout, c'était Salem. Et ce cimetière était un site historique. Elle avait aussi remarqué qu'il y avait un musée attenant aux sépultures. Cela ne lui semblait pas très convenable. Elle sentait que cet endroit aurait dû conserver un caractère sacré.

Le cimetière était petit et intime, de la grandeur d'une arrière-cour résidentielle. Une allée en pavée y serpentait. Pendant qu'elle faisait le tour, Caitlin se demanda quel âge avaient les pierres tombales, avec leurs caractères étranges, en partie effacés par le temps. C'était de l'anglais, mais si ancien, et si insolite, qu'on aurait dit un autre langage.

Elle lut attentivement les noms, en s'attardant particulièrement sur les patronymes.

Mais elle ne trouva pas un seul « Paine », ni aucune variante orthographique de ce nom. Ils étaient arrivés au bout du sentier. Rien.

Arrivée au bout, Caleb près d'elle, Caitlin s'arrêta pour lire une plaque. On y décrivait certaines des tortures horribles infligées aux sorcières. L'une d'entre elles, lut-elle, avait été « écrasée » jusqu'à ce que mort s'ensuive. Caitlin était horrifiée.

— Je n'arrive pas à croire tout ce qu'ils leur ont fait endurer, dit Caitlin. On dirait que toutes les sorcières ont connu une fin atroce.

— Ce n'étaient pas des sorcières, dit Caleb d'un air grave.

Caitlin le regarda par-dessus son épaule. Il y avait de la tristesse dans sa voix.

— Elles appartenaient à notre peuple, dit-il.

Caitlin écarquilla les yeux.

— Des vampires ? demanda-t-elle.

Caleb hocha la tête, en regardant attentivement les pierres.

Ils restèrent silencieux, pendant que Caitlin réfléchissait à la question.

— Je ne comprends pas, dit-elle enfin. Comment sont-ils arrivés ici ?

Caleb soupira.

— Les Puritains. Ils n'ont pas été persécutés en Angleterre en raison de leur forme de christianisme. Ils ont été persécutés parce qu'ils appartenaient à notre espèce. C'est pourquoi ils ont quitté l'Europe, et sont venus ici. Pour pratiquer librement. Ils cherchaient à fuir l'oppression du vieux monde, les vampires européens. Ils devaient trouver une nouvelle nation s'ils voulaient survivre. Alors, ils sont venus ici. Ils étaient de la race bienveillante des vampires, et ils ne voulaient pas combattre les autres vampires, ni les humains. Ils voulaient seulement qu'on les laisse tranquilles.

Caleb fit une pause et reprit :

— Mais, avec le temps, les espèces malfaisantes de vampires les ont suivis ici. Les rangs de ces dernières ne cessaient de croître. Les premières guerres qui éclatèrent dans les colonies ne se déroulèrent pas entre les humains : c'étaient des guerres qui opposaient les bons et les mauvais vampires.

Caitlin écoutait attentivement.

— Et la persécution des sorcières de Salem n'était qu'une façade à la persécution de vampires. Partout où se manifeste le bien, le mal ne tarde pas à suivre. C'est une bataille perpétuelle entre la lumière et les ténèbres. Les sorcières qui ont été persécutées et pendues à Salem appartenaient toutes à l'espèce bienveillante des vampires.

Caitlin était vraiment intéressée par le récit de Caleb.

— C'est pourquoi il serait logique que ton père soit enterré ici. C'est aussi pourquoi, plus généralement, Salem semble un endroit tout à fait approprié. Et c'est finalement pourquoi ton collier apparaît comme un indice aussi éclairant. Tous ces éléments nous mènent à la même conclusion, à savoir que tu es leur héritière. Que tu es la clé pour trouver l'épée qu'ils ont cachée, et qui nous protégera tous.

Caitlin survola encore une fois le cimetière du regard, toute cette histoire lui faisant tourner la tête. Elle ne savait pas quoi en penser. Mais elle savait une chose : il n'y avait pas de « Paine » ici. C'était une nouvelle impasse.

— Il n'y a rien ici, répéta Caitlin.

Caleb examina le cimetière une fois de plus, semblant manifestement déçu.

— Je sais, dit-il.

Caitlin craignait qu'ils ne soient vraiment à court d'idées. Elle ne voulait pas que leur quête se termine ici.

— La rose et l'épine, la rose et l'épine.

Elle ne cessait de répéter ces mots en se murmurant à elle-même, cherchant de toutes ses forces une réponse.

Mais elle ne trouvait rien.

Caleb commença à arpenter l'allée, et Caitlin se remit en marche, tout en continuant de réfléchir.

Elle s'arrêta devant une nouvelle plaque, clouée sur un arbre. Elle lut le texte pour se changer les idées. Tout en lisant, elle sentit l'excitation croître en elle.

— Caleb! cria-t-elle. Vite!

Il accourut.

— Écoute ça : «Toutes les sorcières ayant été persécutées ne sont pas enterrées dans ce cimetière. En fait, il n'y en a qu'un petit nombre. Il y avait plus de 130 autres sorcières sur la liste des "accusées". Certaines se sont enfuies, d'autres sont enterrées ailleurs. Pour la liste complète, consultez les archives du musée.»

Ils échangèrent un regard, ayant la même idée, et se retournèrent pour regarder le musée derrière eux.

Le soleil se couchait et, juste comme ils arrivaient devant la porte du musée, elle se fermait littéralement devant eux. Caleb fit un pas en avant et retint la porte avec la main.

Le visage d'une vieille femme apparut dans l'ouverture. Elle avait l'air sévère et contrariée.

— Désolée, jeunes gens, mais nous sommes fermés, dit-elle. Revenez demain s'il vous plaît.

— Pardonnez-nous, dit Caleb avec élégance, mais nous ne prendrions que quelques minutes de votre temps. Je crains que nous ne puissions revenir demain.

— Il est 17 h 05, dit-elle d'un ton sec. Nous fermons à 17 h. Tous les jours. Sans exception. C'est le règlement. Je ne peux garder la place ouverte pour tous ceux qui arrivent en retard. Comme je le disais, vous pouvez revenir demain si vous le désirez. Bonne soirée.

Elle recommença à fermer la porte, mais Caleb la garda ouverte avec la main. Elle repassa sa tête par l'ouverture, très contrariée.

— Écoutez, voulez-vous que j'appelle la police...

Elle s'arrêta soudainement au milieu de sa phrase, tandis que son regard croisait celui de Caleb. Elle continua simplement à le fixer, pendant plusieurs secondes, et Caitlin vit son expression changer. Elle s'adoucissait. Puis, de façon très surprenante, elle esquissa un sourire.

— Eh bien, entrez jeunes gens, dit-elle d'un ton joyeux. Je suis heureuse de vous accueillir. Allez, veuillez entrer, dit-elle en ouvrant la porte toute grande et en se reculant avec un sourire.

Caitlin, troublée, regarda Caleb. *Qu'est-ce qu'il a fait ?*

Peu importe ce que c'était, elle voulait apprendre à le faire.

Ne t'en fais pas, ça viendra.

Caitlin regarda Caleb, étant doublement troublée de voir qu'il lui avait adressé une pensée, et qu'elle l'avait entendue.

Ils avaient le musée pour eux seuls. Ils traversèrent les corridors mal éclairés. Des images, des plaques et des accessoires couvraient les murs, représentant les sorcières, les juges et les pendaisons. C'était un lieu solennel.

Ils arrivèrent devant un grand présentoir. Caitlin commença à lire et fut si captivée qu'elle décida de lire à voix haute pour Caleb.

— Écoute ça, dit-elle. « À Salem, en 1692, un important groupe d'adolescentes tomba subitement malade. La plupart furent frappées de crises d'hystérie, et hurlèrent qu'elles avaient été attaquées par des sorcières. Plusieurs de ces filles allèrent jusqu'à dévoiler le nom des sorcières qui les harcelaient. Parce que leur maladie était aussi mystérieuse, et que plusieurs de ces filles moururent subitement alors qu'il n'y avait pas d'autre explication, les villageois tombèrent dans un délire collectif. Ils pourchassèrent les gens accusés de sorcellerie. À noter qu'encore à ce jour, personne n'a été en mesure de déterminer la nature de la maladie qui frappa ces filles, ni pourquoi elles furent affligées par de telles crises d'hystérie. »

— C'est parce qu'elles arrivaient à leur majorité, dit Caleb d'une voix douce.

Caitlin le regarda.

— Comme pour toi, dit-il. Elles faisaient partie de notre race, et les crampes violentes de faim les frappaient. Elles n'étaient pas malades. Elles étaient hystériques. Elles étaient dépassées par les changements qui étaient en train de se produire. Elles ne savaient pas comment y répondre.

Caitlin réfléchit à la question. Des adolescentes. En 1692. À Salem. À l'âge de la majorité. Connaissant exactement la même période difficile qu'elle traversait elle-même.

C'était renversant. Elle sentait une connexion profonde s'établir avec l'histoire. Elle n'avait plus l'impression d'être seule à vivre cette épreuve. Mais cela la terrifiait en même temps. Car ça venait corroborer ce qu'elle vivait. Et elle n'avait pas besoin de confirmation. Elle voulait que quelqu'un lui dise qu'il n'y avait rien de vrai, que ce n'était qu'un cauchemar, que tout redeviendrait bientôt normal. Mais plus elle découvrait de choses, plus elle était terrifiée. Plus elle comprenait que rien ne redeviendrait normal dans son cas.

— Elle est ici, dit Caleb de l'autre côté de la pièce.

Caitlin se précipita.

— La liste. Les 133 accusés.

Ils parcoururent lentement la longue liste de personnes, écrite à la main dans une écriture ancienne. Il était difficile de la déchiffrer, et il fallut du temps pour le faire.

À un certain moment, près de la fin de la liste, Caitlin se figea soudainement. Elle pointa quelque chose du doigt sur la vitre.

C'était son patronyme. Paine. Écrit de la même façon qu'elle. Sur la liste des « accusés ».

— Élizabeth Paine. Accusée de sorcellerie. 1692.

Élizabeth ? Une femme ?

— Je le savais, dit Caleb. Je savais qu'il y avait un lien.

— Mais…, opposa Caitlin, *Élizabeth*. C'est une femme. Je pensais que nous cherchions mon père.

Elle était déconcertée.

— Ce n'est pas si simple ; nous devons penser en fonction de générations. C'est peut-être Élizabeth que nous cherchons. Ou bien encore son père. Ou son mari. Nous ne savons pas où commence ni où se termine ta lignée. Mais nous savons qu'il y a un lien.

— Regarde ça ! dit Caitlin, emballée, se précipitant vers un autre présentoir à courte distance de là.

Ils restèrent devant le présentoir, bras ballants et bouche bée. C'était incroyable. Tout un montage entièrement consacré à Élizabeth Paine !

Caitlin lut à voix haute :

— « Parmi les accusés, Élizabeth Paine connut un sort particulier. Elle devait connaître la gloire, en étant immortalisée dans *La Lettre écarlate*. Il est généralement admis que son héroïne célèbre, Hester Prynne, s'inspire en fait de la vie d'Élizabeth Paine. Ce roman est le chef-d'œuvre de l'œuvre remarquable d'un résident de longue date de Salem, Nathaniel Hawthorne. »

Les yeux de Caitlin s'écarquillèrent d'excitation. Elle regarda Caleb.

— C'est ça, dit-elle, le souffle coupé.

Elle avait de la difficulté à contenir son enthousiasme.

— Tu comprends, dit-elle. L'énigme. C'est un jeu de mots. Haw*thorne*[1]. *La rose et l'épine*. Et la rose est

---

1. N.d.T. : En anglais, *thorn* signifie « épine ».

écarlate. Comme dans *La Lettre écarlate*. En d'autres mots, ça concerne Hawthorne. Et Paine.

Au même moment, la vieille dame revint dans la pièce, semblant commencer à retrouver ses sens. Elle les regarda et dit :

— Je suis désolée, mais il faut vraiment que je ferme...

Caitlin se précipita vers elle, lui agrippant les bras.

— Où a vécu Hawthorne ?

— Pardon ?

— Nathaniel Hawthorne, dit Caitlin d'un ton excité. On dit qu'il a vécu à Salem.

— Jeune dame, nous savons exactement où il a vécu. Grâce à notre société historique, sa maison a été conservée. Elle est toujours debout, parfaitement intacte.

Caitlin et Caleb échangèrent un regard.

Ils savaient exactement où ils devaient maintenant se rendre.

Chapitre 10

Le soleil se couchait lorsque Caitlin et Caleb arrivèrent à la maison de Hawthorne. La maison rouge et modeste se trouvait à environ 15 mètres du trottoir. Avec son allée et ses haies, elle ressemblait à n'importe quelle autre petite maison de banlieue. Avec sa peinture rouge foncé et ses volets, elle conservait un aspect simple et ancien. Elle était humble.

Et pourtant, on se rendait compte qu'elle était différente. Elle transpirait l'histoire.

Ils l'observèrent un moment, en silence.

— Je pensais qu'elle serait plus grande, dit Caitlin. Caleb fronça les sourcils.

— Qu'est-ce qu'il y a?

— Je me souviens de cette maison, dit Caleb. Je ne sais pas à quelle époque. Mais je me rappelle qu'elle était ailleurs.

Caitlin l'observa, regardant ses traits admirablement sculptés, et se demanda combien il pouvait se rappeler de choses. Elle se demanda ce que ça pouvait faire d'emmagasiner tant de choses dans sa mémoire. Des centaines d'années — des milliers. Il avait vu et vécu des choses qu'elle pouvait à peine imaginer. Elle se demanda si c'était une chance ou bien une malédiction. Voudrait-elle vivre la même chose?

Elle avança de quelques pas, jusqu'à la clôture en fer de la propriété. Elle tenta de soulever le loquet mais, à sa grande surprise, il était verrouillé. Elle regarda l'écriteau : *9 h à 17 h les jours de semaine.*

Elle vérifia à sa montre : 17 h 30. Fermé.

— Qu'est-ce qu'on fait ? demanda-t-elle.

Caleb jeta des regards furtifs autour de lui. Caitlin l'imita. Personne en vue sur la petite rue. Elle comprit où il voulait en venir. Il la consulta du regard, et elle fit un signe de la tête.

Il agrippa le loquet métallique et, d'un mouvement souple, l'arracha de sa charnière. Il regarda une nouvelle fois autour de lui, et vit qu'il n'y avait personne. Il ouvrit la barrière et lui fit signe de passer rapidement. Il ferma la barrière de son mieux derrière eux, et déposa le loquet métallique sur l'herbe. Il se précipita à la suite de Caitlin dans l'allée.

Caitlin arriva à la porte d'entrée. Elle tourna le bouton. Verrouillé.

Caleb s'approcha et tendit la main vers le bouton de porte, prêt à le faire sauter.

— Une seconde, dit Caitlin.

Caleb suspendit son geste.

— Je peux essayer ? demanda-t-elle en esquissant un sourire malicieux.

Elle voulait voir si elle en avait le pouvoir. Elle sentait la force qui coulait dans ses veines, mais ne connaissait pas ses limites, et ne savait pas lorsqu'elle pouvait l'utiliser.

Il lui sourit, en s'écartant d'un pas.

— Après vous.

Elle essaya de forcer la poignée, mais cette dernière ne céda pas. Elle essaya plus fort. Toujours rien. Elle commençait à se sentir frustrée, et gênée.

Elle était sur le point d'abandonner, lorsque Caleb lui dit :

— Concentre-toi. Tu la tournes comme un humain. Descends plus profondément. Tourne-la à partir d'un endroit différent en toi-même. Laisse ton corps le faire à ta place.

Elle ferma les yeux et respira profondément. Elle déposa sa main délicatement sur la poignée et essaya de se concentrer en suivant ses instructions.

Elle tourna à nouveau, et fut surprise d'entendre un claquement sec. Elle regarda et vit qu'elle avait cassé le bouton de porte. Celle-ci était entrouverte.

Elle regarda Caleb qui lui adressa un sourire.

— Très bien, dit-il en lui faisant signe d'entrer. Les dames d'abord.

La maison était douillette, avec des plafonds bas et de grandes fenêtres à carreaux. La lumière extérieure faiblissait rapidement, et ils n'auraient pas beaucoup de temps pour faire leurs recherches, à moins d'allumer l'éclairage électrique. Ils avancèrent rapidement dans la maison, faisant craquer les lattes du plancher, en essayant de faire aussi vite que possible.

— Qu'est-ce qu'on cherche exactement ? demanda-t-elle.

— Tes intuitions seront aussi bonnes que les miennes, dit-il. Mais je sens que nous sommes au bon endroit.

Au bout du hall, il y avait un présentoir consacré à la vie de Hawthorne. Caitlin s'arrêta et lut à voix haute :

— « Nathaniel Hawthorne n'était pas seulement un auteur de plus à écrire sur Salem. Il vivait à Salem. La plupart de ses histoires se déroulent à Salem. La plupart des bâtiments décrits à Salem font partie intégrante de ses histoires, et plusieurs sont toujours debout aujourd'hui. Plus important encore, Hawthorne a un lien direct avec certains des événements et des personnages de ses livres. Son œuvre la plus célèbre, par exemple, *La Lettre écarlate*, raconte l'histoire d'une femme, Hester Prynne, qui fut emprisonnée et méprisée pour cause d'adultère. Hawthorne a un lien plus direct avec ces événements qu'on ne pourrait le croire. Son véritable grand-père, John Hawthorne, était l'un des juges principaux dans le procès des sorcières de Salem. John Hawthorne est celui qui a accusé, jugé et mis à mort les sorcières. À Salem, ce fut un lourd passé à assumer pour Hawthorne. »

Caitlin et Caleb échangèrent un regard, chacun devenant de plus en plus intrigué. Manifestement, il y avait une connexion importante ici, et ils sentaient qu'ils avaient mis le doigt sur quelque chose. Mais ils ne savaient pas encore quoi. Il manquait toujours une pièce au puzzle.

Ils continuèrent à explorer la maison, examinant divers objets, cherchant une piste, n'importe laquelle. Mais après avoir fait le tour du rez-de-chaussée, ils restèrent les mains vides.

Ils s'arrêtèrent devant un escalier de bois étroit. Il était fermé par un cordon de velours où pendait un écriteau : « Privé. Personnel autorisé seulement. »

Caleb lança un regard à Caitlin.

— Au point où nous en sommes, dit-il.

Il tendit la main et décrocha la corde.

Fébrile, elle monta la première, le bruit de ses pas résonnant dans l'escalier de bois. La maison craqua et gémit pendant qu'ils montaient. Comme si elle protestait contre cette intrusion.

Les plafonds de l'étage étaient encore plus bas, à peine assez hauts pour que Caleb puisse se tenir debout. Il faisait presque noir maintenant, et il y avait juste assez de lumière pour distinguer ce qui les entourait. Ils se trouvaient dans une pièce somptueuse et douillette, avec un plancher en grosses planches de bois, des carreaux, et des meubles d'époque décorés avec goût. Au centre, il y avait un foyer en briques, avec des taches noires sur les bords. Des marques laissées par un usage intensif.

En haut de l'escalier, ils furent accueillis par un nouveau présentoir, cette fois dédié à Élizabeth Paine.

Caitlin lut à voix haute :

— « Hester Prynne, l'héroïne la plus célèbre de Hawthorne, est le personnage central de *La lettre écarlate*. Elle fut persécutée parce qu'elle refusait de révéler la véritable identité du père de son enfant. De nombreux spécialistes disent que cette histoire s'inspire de la vie d'une résidente de Salem : Élizabeth Paine. Aucun spécialiste n'est en mesure de dire qui est le père de l'enfant d'Élizabeth, puisqu'elle a toujours refusé de révéler son identité aux villageois. Selon la légende, il s'agirait d'un homme mystérieux, venu par bateau d'Europe, et il serait question d'une histoire d'amour illicite. Élizabeth a été bannie de Salem et dut vivre dans une maisonnette dans les bois, à l'extérieur du village, seule avec son enfant. L'endroit précis où se trouvait sa maisonnette n'a jamais été découvert. »

Caitlin regarda Caleb. Elle était muette de stupéfaction.

— Un amour interdit ? demanda-t-elle. Comme entre...

Caleb approuva en faisant un signe de la tête.

— Oui. Entre un vampire et une humaine. Ce n'est pas vraiment une histoire d'adultère. Tout est masqué, caché. C'est une allégorie. Ça porte vraiment sur nous. Sur notre race. Plus précisément : sur toi. Leur enfant. La sang-mêlé.

Caitlin sentit le sol se dérober sous ses genoux. Les ramifications étaient étourdissantes.

Elle ne pouvait s'empêcher de penser que l'histoire se répétait, que des générations plus tard elle s'apprêtait à jouer le même drame. Un amour interdit. Deux races. Elle et Caleb. Répétant les mêmes gestes, suivant la trace de ses ancêtres. Elle se demanda si l'existence ne faisait que se répéter elle-même, de génération en génération, infiniment.

Ils inspectèrent lentement la pièce du regard. Il était difficile de distinguer les choses, tandis que la lumière du jour déclinait, et elle ne savait toujours pas ce qu'ils devaient trouver. Mais maintenant, elle savait, sans l'ombre d'un doute, qu'ils cherchaient au bon endroit.

C'était aussi, selon toute vraisemblance, l'avis de Caleb. Il se déplaça dans la pièce, inspectant tout avec curiosité. Ils étaient tous les deux certains que, peu importe ce qu'ils cherchaient, ils le trouveraient dans cette pièce. Peut-être l'épée elle-même ?

Mais la pièce était sommairement meublée et, après l'avoir inspectée, elle ne voyait pas où l'on aurait pu cacher quelque chose.

— Ici, dit finalement Caleb.

Caitlin se précipita vers lui. Il se tenait près d'un coffre ancien. Il passa la main sur le côté.

— Regarde ici, dit-il.

Il prit la main de Caitlin et la guida sur le côté, puis elle le sentit. Il y avait un petit renfoncement métallique. De la forme d'une croix.

— Qu'est-ce que c'est ? demanda-t-elle.

— Je ne sais pas, répondit-il, mais je sais au moins une chose : ça ne fait pas vraiment partie du meuble. Et je soupçonne autre chose : cette forme inhabituelle, les lignes arrondies, je gagerais n'importe quoi que c'est la forme exacte de ta croix.

Elle le regarda d'un air ébahi, ne comprenant pas ce qu'il voulait dire. Puis, elle comprit soudainement, et porta la main à son cou. Son collier.

— Je crois que c'est une clé, dit-il.

Elle l'enleva rapidement et, posant sa main sur celle de Caleb, ils l'insérèrent ensemble dans le renfoncement. Elle fut enchantée de voir que la croix s'ajustait parfaitement. Elle s'enfonça en produisant un léger clic et, comme ils la tournaient délicatement vers la droite, un compartiment vertical s'ouvrit.

Le cœur battant, Caitlin fouilla à l'intérieur et en ressortit délicatement un parchemin jauni et fragile. Il était attaché avec un vieux cordon, qui menaçait de s'effriter.

Elle le tendit à Caleb, et ils déroulèrent le parchemin ensemble.

C'était une carte. Dessinée à la main, il y a des centaines d'années.

Il lui adressa un regard.

— Sa maisonnette, dit-il, le souffle coupé. Cette carte montre l'endroit où elle habitait.

Elle fixa la carte avec stupéfaction.

— Qui que ce soit qui ait caché cette carte ici, il voulait que ce soit toi qui la trouve. Ton collier était la clé. Et la cachette n'a jamais été découverte jusqu'à maintenant. On voulait que tu trouves cette carte, que tu trouves sa maisonnette. Et où qu'elle soit, il y a quelque chose qui t'y attend.

Tout cela lui était destiné, à *elle*. À Caitlin, et Caitlin seule. Cette pensée la submergea. Comme si, pour la première fois dans sa vie, elle se sentait désirée. Aimée. Importante. Comme si elle était reliée à quelque chose de plus grand qu'elle, quelque chose qui avait des siècles d'existence. Elle était la clé de ce vaste puzzle. Elle eut de la difficulté à contenir son émotion.

Puis, cela arriva soudainement. Une horrible douleur lui serra l'estomac. Cela lui coupa le souffle. Elle s'écroula en avant, essayant de reprendre haleine.

— Ça va? demanda Caleb en posant la main sur son épaule.

La faim violente. Les crampes. Elles étaient revenues. Elles étaient si brutales, cette fois, que Caitlin pouvait à peine respirer.

Une autre crampe la frappa soudainement, et elle était si douloureuse que Caitlin se souleva d'un soubresaut. Elle s'entendit gronder, produisant un son horrible et surnaturel. Elle se vit courir à travers la pièce, essayant d'extirper la douleur de son corps. Elle fonça dans une grande vitrine, faisant basculer l'étalage, et l'entendit voler en éclat.

Mais elle ne pouvait plus se contenir. Elle se démenait comme une forcenée, menaçant de détruire tout dans cette pièce.

Caleb surgit à ses côtés, l'agrippant fermement.

— Caitlin, dit-il d'un ton autoritaire. Caitlin, écoute-moi!

Il l'agrippa par les épaules, la maintenant de toutes ses forces, mais il était à peine capable de la contenir.

— Tout ira bien. Ce sont les douleurs de la faim. M'entends-tu? Tout ira bien. Il faut que tu te nourrisses. Il faut qu'on sorte d'ici, articula-t-il lentement. Tout de suite !

Caitlin leva le regard, mais dans sa confusion le distingua à peine. Elle l'entendait, oui, mais la douleur était trop fulgurante pour qu'elle puisse se concentrer sur ce qu'il disait. Elle ne se possédait plus. Elle était submergée par le désir de se nourrir. De détruire. De se rassasier. Maintenant.

Caleb dut se rendre compte de ce qui lui arrivait, parce qu'avant qu'elle ne puisse réagir, il l'agrippa rapidement et fermement par le bras, et la guida dans l'escalier, puis hors de la maison.

Il faisait pratiquement noir, et ils bondirent hors de la maison de Hawthorne, traversant l'allée à toute vitesse. Ils allaient si vite qu'ils ne regardèrent pas devant eux, et ne s'aperçurent pas qu'ils fonçaient droit dans un barrage d'agents de police.

— Personne ne bouge ! cria une voix.

Devant eux, fusils pointés, se trouvaient plusieurs policiers de Salem.

— Les mains en l'air ! Lentement !

Caitlin était toujours dans le brouillard. Les crampes la tenaillaient sévèrement, et elle ne pouvait contenir les accès de rage, de violence, qui l'envahissaient. Elle avait de la difficulté à se concentrer, à discerner ce qu'ils disaient. Elles voyaient les agents, mais ils ne lui inspiraient aucune crainte. Au contraire, elle voulait se jeter sur eux.

Dans son brouillard, elle sentait la poigne ferme de Caleb, qui emprisonnait ses épaules, et c'était la seule chose qui lui permettait de se maîtriser.

— J'ai dit, les mains en l'air ! cria un policier, tandis que deux autres agents s'approchaient.

— Du calme, Caitlin, du calme, murmura Caleb.

Au même moment, il soulevait lentement les bras hauts dans les airs, sans lâcher le parchemin et en encourageant Caitlin à l'imiter.

— Ils ne peuvent nous faire de mal.

Caitlin ressentait toute une gamme d'émotions. Mais le calme n'en faisait pas partie. Elle regarda les agents, les vit pointer leurs armes sur Caleb, et sentit une rage violente l'envahir. Une nouvelle crampe la vrilla, et elle ne put se contrôler davantage, agrandissant une zone précise sur un agent, sa gorge, le sang qui y circulait. Elle en avait besoin.

Caitlin bondit. Elle sauta en direction du policier se trouvant au centre et, avant qu'il ne puisse faire un geste, elle était sur lui, le tenant fermement, levant sa propre tête, les dents allongées, visant directement le cou.

Puis : un coup de feu.

Chapitre 11

L'horloge affichait minuit pile lorsque Kyle descendit l'escalier de marbre, flanqué d'une vingtaine de ses subalternes. La soirée avait été chargée, mais les choses s'étaient déroulées encore mieux qu'il ne l'aurait imaginé. Il redoutait néanmoins de rencontrer son maître, Rexius, le chef suprême de leur cercle. Ils se connaissaient depuis des milliers d'années, et il savait que Rexius ne supporte pas les incapables. Il ne tolère aucunement les erreurs, et Kyle se sentait nerveux depuis que cette fille, Caitlin, s'était soustraite à leur joug. Rexius avait toujours puni le plus minime manquement, et Kyle se préparait mentalement, se demandant lorsque le châtiment s'abattrait sur lui. Il savait que Rexius attendait seulement le bon moment, qu'il n'oublierait jamais.

Toutefois, le travail de Kyle s'était si bien déroulé ce soir, aux quatre coins de la ville, qu'il n'arrivait pas à imaginer que son maître puisse lui en tenir encore rigueur. Cela faisait plus que racheter cette minime erreur. Après tout, ils se trouvaient à un tournant de l'histoire, et Kyle était le général de cette guerre. Comment son maître pourrait-il le punir maintenant ?

En fait, plus Kyle y pensait, plus il avait hâte à cette rencontre. Il avait hâte de rapporter la virulence de cette peste, la vitesse à laquelle elle se propageait, et comment ses hommes et lui l'avaient habilement répandue. Il anticipait l'approbation de Rexius, son enthousiasme partagé à l'effet que cette guerre, qu'ils attendaient depuis des millénaires, soit enfin déclenchée.

Comme Kyle s'enfonçait plus profondément dans le sol, sous City Hall, empruntant un nouveau corridor de marbre et passant une énorme porte médiévale à double battant, il se sentait grisé. Il avait attendu ce jour pendant tant d'années. Il adorait la sensation d'avoir sa garde personnelle derrière lui, la perspective de la guerre à venir. Il n'avait pas connu une telle euphorie depuis le moment où il avait assisté aux décapitations de la Révolution française.

Comme Kyle entrait dans la salle de son maître, passant la porte à double battant, plusieurs vampires supérieurs se postèrent derrière lui, barrant la voie à son entourage. Ils fermèrent la porte avec fracas, laissant Kyle seul dans la pièce. Ce qui n'était pas pour le rassurer. Mais encore une fois, lorsqu'on rencontre Rexius, on n'a pas vraiment le choix. Et on ne sait jamais comment il va réagir.

C'était une salle très vaste. Kyle fut surpris de découvrir des centaines de vampires alignés en silence le long des murs. Leurs rangs avaient grossi, et il y avait plusieurs vampires que Kyle ne connaissait pas.

Ces vampires se tenaient au garde-à-vous, silencieusement, sur les côtés de la pièce, pratiquement hors de vue. Seul le dirigeant était parfaitement visible

dans la pièce. Il était comme toujours assis au centre,
sur son énorme trône de marbre, et posait son regard
de haut sur Kyle. C'est ainsi qu'il aimait ça.

Kyle avança et inclina la tête.

— Mon maître, dit Kyle.

Un lourd silence pesa sur la pièce.

Kyle leva le regard.

— Vous serez ravi d'apprendre, maître, que notre
travail s'est parfaitement déroulé. La peste couvre
chaque secteur de la ville. En quelques jours, les
humains plieront l'échine.

Plusieurs secondes d'un silence inconfortable suivirent, tandis qu'il sentait le regard furieux de son
maître le transpercer. Ces yeux bleus de glace lui
avaient toujours donné la chair de poule.

Kyle baissa finalement le regard, inclinant de nouveau la tête. Il ne pouvait supporter davantage ce
regard.

— Vous avez fait du bon travail, Kyle, dit lentement le chef, d'une voix sombre, posée et râpeuse.
D'autres cercles se rallient déjà à nous. Nos forces ne
cessent de croître pendant que nous parlons.

— Cette guerre sera grandiose, maître, dit Kyle. Je
suis honoré de la mener pour vous.

Plusieurs secondes de silence suivirent.

— Oui, répondit enfin Rexius, cette guerre sera
grandiose. Dans quelques jours, New York nous appar-
tiendra et, dans quelques semaines, la race humaine
sera réduite en esclavage.

Rexius esquissa un sourire, passant très rapidement sa langue sur ses lèvres. Kyle fut saisi d'effroi en voyant cela. Un sourire de Rexius ne pouvait signifier qu'une chose : de mauvaises nouvelles.

— Je suis au regret de t'apprendre, enchaîna Rexius, que tu ne seras pas ici pour partager ce triomphe avec nous.

Kyle ressentit une douleur à la poitrine, et leva un regard où on pouvait lire la crainte. Il ne savait pas quoi dire. Où serait-il ? Serait-il affecté ailleurs ?

— Pas ici ? demanda Kyle, abasourdi.

Il pouvait entendre les trémolos dans sa propre voix, et en eut honte.

— Mon maître, j'ai peur de ne pas comprendre. J'ai déjà tout accompli à la perfection.

— Je sais, je sais. C'est la seule raison pour laquelle tu es encore en vie, dit-il.

Kyle déglutit péniblement.

— Mais tu dois payer pour tes erreurs passées. Je ne pardonne jamais, Kyle.

Kyle déglutit péniblement, et sentit qu'il avait la gorge sèche. C'était ce qu'il redoutait.

— Tu as laissé la sang-mêlé s'échapper. Elle pourrait conduire quelqu'un d'autre à l'épée. Si c'était le cas, notre victoire serait compromise.

Il se pencha vers l'avant, afin que Kyle puisse sentir pleinement l'impact de ses yeux bleus de glace.

— *Gravement* compromise.

Kyle savait qu'il ne pouvait se défendre. Cela ne ferait qu'empirer les choses. Il se contenta de s'agenouiller, attendant la sentence, tremblant de rage et de peur. Il avait été dupé. Il avait conduit leur guerre de main de maître, et il en serait maintenant puni.

Il y eut plusieurs secondes de silence, au cours desquelles Kyle essaya d'imaginer ce que lui réserverait le futur.

— Kyle du cercle de Blacktide, tu as manqué à tes devoirs, et rompu ton pacte sacré. Je te condamne donc à une immersion partielle dans l'acide iorique, suivie du bannissement à vie de notre cercle. Tu ne fais plus partie des nôtres désormais. Tu resteras en vie, mais ce sera une vie solitaire, et ton nom sera rayé à jamais pour nous. Tu es un paria. Pour l'éternité.

Les yeux de Kyle s'écarquillèrent de terreur et de stupéfaction, tandis que des dizaines de soldats surgirent soudainement pour agripper ses bras et le traîner hors de la pièce. Ce châtiment était par trop excessif. Il était injuste.

— Maître, vous ne pouvez faire cela. J'ai été votre meilleur officier — pendant des siècles!

Kyle se débattait, tandis que de plus en plus de bras l'agrippaient, le tirant vers l'arrière.

— Je peux la retrouver! cria-t-il tout en étant traîné de force. Je peux la ramener! Moi et moi seul! Je sais comment la trouver. Vous devez me donner cette chance!

— Tu as déjà eu trop de chances, dit le chef suprême en esquissant un sourire mauvais. Je la trouverai moi-même. J'ai d'autres soldats dans mon armée.

Ce fut la dernière chose que Kyle entendit en étant traîné hors de la salle, en passant la porte à double battant.

— Mon maître! commença à crier Kyle.

Mais il ne put finir, car les portes lui furent claquées à la figure.

Kyle sentait les bras sur lui, sur tout son corps, et, avant qu'il ne puisse réaliser ce qui lui arrivait, il était couché sur le dos, sur une table de pierre.

Des vampires de plus en plus nombreux l'immobilisaient, bourdonnant au-dessus de lui. C'était un épisode de vengeance collective. Il pensa qu'au cours des milliers d'années de son existence, il avait suscité de nombreuses envies de règlement de compte. Il avait piétiné de nombreuses personnes pour en arriver là où il était. Et maintenant, c'était l'heure de la revanche.

Un vampire s'approcha de lui avec un sourire méprisant sur les lèvres. Il tenait un seau entre les mains. Kyle put sentir la puanteur horrible de l'acide iorique, avant même de l'apercevoir.

— NON! cria Kyle.

Il avait vu d'autres vampires subir ce châtiment, et il connaissait la douleur atroce qui le guettait.

Lorsqu'il leva les yeux, la dernière chose qu'il aperçut fut le seau qui basculait, puis le liquide qui commençait à se répandre directement sur son visage.

Puis, ses hurlements remplirent les corridors.

Chapitre 12

Pendant que Caitlin volait dans l'air froid avec Caleb, s'agrippant solidement à lui, sa fringale commença à se dissiper, et elle retrouva graduellement ses esprits. Elle baissa le regard et vit le sang qui couvrait Caleb, qui les couvrait tous les deux, et elle essaya de se rappeler ce qui s'était passé.

Elle se rappelait être sortie de la maison de Hawthorne. Puis la police, et sa perte de contrôle. Ensuite, il y avait eu un coup de feu. Oui, elle s'en souvenait maintenant. Elle avait voulu planter ses dents dans le cou de l'agent, mais elle avait été soudainement tirée vers l'arrière par Caleb. À la vitesse de l'éclair, il l'avait tiré d'un coup sec, lui évitant d'attaquer un autre humain.

Mais il en avait payé le prix. Ce flic avait tiré, puis avait touché Caleb au bras. Son sang les avait éclaboussés tous les deux, mais ça ne l'avait pas ralenti. Il avait plutôt trouvé le moyen d'assommer les trois policiers avant qu'ils ne puissent réagir, l'attrapant, elle, dans le même mouvement pour finalement s'envoler. Elle s'émerveilla de son sang-froid dans toutes les situations. Il avait réussi à les tirer de ce mauvais pas sans blesser gravement qui que ce soit, sinon lui-même. Elle éprouva de la honte de n'être pas aussi évoluée, pas aussi calme que lui, et se sentit coupable de l'avoir exposé à un tel danger.

Il faisait noir lorsque Caitlin et Caleb survolèrent les bois en périphérie de Salem. Tandis qu'ils volaient dans l'air froid de la nuit, elle sentit qu'elle retrouvait graduellement son calme. La poigne forte et ferme de Caleb la maintenait dans les airs, et elle sentit que les tensions s'apaisaient dans son corps. La faim disparaissait. En même temps que sa rage.

Lorsqu'ils se posèrent dans les bois, elle sentait qu'elle était redevenue normale. Maintenant qu'elle avait les idées claires, les événements des dernières heures lui apparurent comme une image trouble, un épisode bestial et sauvage. Elle ne pouvait comprendre pourquoi elle s'était comportée de la sorte. Pourquoi avait-elle ressentie une telle rage, et si rapidement ? Pourquoi n'arrivait-elle pas à se maîtriser ?

Bien sûr, elle savait que la réponse n'était pas d'ordre intellectuel : lorsque les crampes la tenaillaient, elle perdait tout simplement le contrôle. Elle devenait une autre personne, à la merci de son instinct animal. Dieu merci, Caleb était là. Elle n'aurait pas voulu avoir le sang de ce policier sur les mains. Elle était reconnaissante qu'il soit intervenu avant qu'elle ne commette l'irrémédiable.

En voyant le sang s'écouler du bras de Caleb, elle se sentit de nouveau coupable. Il avait reçu une balle à cause d'elle.

Elle tendit la main pour toucher son bras.

Il baissa le regard.

— Je suis si désolée, dit-elle. Est-ce que ça va ?

— Ça va aller, dit-il. Les vampires ne sont pas comme les humains : notre peau guérit rapidement. Dans quelques heures, je serai complètement guéri. C'était une balle ordinaire. Si elle avait été en argent, ç'aurait été une tout autre affaire. Mais ce n'était pas le cas. Je t'en prie, ne t'en fais pas, dit-il d'une voix douce.

Lorsqu'elle regarda son bras, elle remarqua qu'il commençait déjà à guérir rapidement. C'était stupéfiant. La blessure ne ressemblait plus qu'à une grosse marque noire et bleue. C'était comme si elle guérissait sous ses yeux.

Elle se demanda si elle possédait le même pouvoir. Mais, puisqu'elle était une sang-mêlé, elle en doutait. Comme la plupart des pouvoirs vampiriques, il était probablement réservé aux vampires à part entière, aux purs sang. Une partie d'elle-même aurait voulu qu'elle en soit une. L'immortalité. Les superpouvoirs. L'immunité contre la plupart des armes. Elle possédait certaines de ces caractéristiques, mais évidemment pas toutes. Elle se trouvait prise entre deux mondes, et ne savait pas lequel choisir.

Mais, à vrai dire, elle n'avait pas vraiment le choix non plus. La seule façon de devenir une vraie vampire, une vampire à part entière, serait d'être transformée par un vampire. Et Caleb ne lui offrirait pas ça. C'était interdit. Et même si ce ne l'était pas, elle avait le sentiment qu'il ne le lui offrirait pas de toute manière. Il semblait oppressé par son immortalité, et semblait même lui envier sa mortalité. Elle ne pensait pas qu'il lui souhaite de devenir ce qu'il était. Pour son propre bien.

— Tu l'as toujours ? demanda-t-il.

Elle lui lança un regard où se lisait l'incompréhension.

— La carte, ajouta-t-il.

Bien sûr. C'est pourquoi ils s'étaient posés ici.

Elle fouilla dans sa poche, et fut soulagée de la trouver là. Merci Seigneur pour les poches à fermeture éclair.

Elle lui tendit.

Il la déroula et l'examina.

— Nous ne sommes pas bien loin, dit-il en l'abaissant et en observant le bois devant eux. La maisonnette devrait être tout près.

Caitlin jeta un regard circulaire, essayant de scruter les ténèbres. Elle ne voyait que des arbres.

— Je ne vois rien, dit-elle.

— C'est une vieille carte, dit-il. Elle a été dessinée à la main, de façon grossière. Je ne suis pas sûr qu'elle soit exacte. Mais la marque indique ce secteur.

Caleb inspecta à nouveau les environs, imité par Caitlin. Mais ils ne virent rien.

— Cette maisonnette, dit Caitlin, se trouvait là il y a des centaines d'années. Elle a peut-être été détruite ?

Caleb inspecta le bois du regard. Il se dirigea dans une direction précise, et elle le suivit, faisant craquer les feuilles au sol.

— Oui, dit-il, c'est possible. Surtout si elle était construite en bois. Alors, c'est probablement le cas. Mais j'ai bon espoir qu'elle fût construite en pierre. C'est le cas de la plupart des maisons de vampires. Donc, elle serait encore debout. Du moins, en partie.

— Supposons que ce soit le cas, depuis le temps elle a probablement été découverte, ou vandalisée ? l'interrogea-t-elle.

— Peut-être. Sauf si…

Elle attendit.

— Sauf si ?

— Sauf si elle a été envahie par la végétation. C'est une tradition des vampires, une façon de faire traverser les générations à un indice. Nous construisons une maisonnette en pierre, puis plantons tout près, autour d'elle, des glycines, des buissons épineux et plusieurs rangées de broussailles. Si on laisse la végétation aller, elle croît de façon rapide et envahissante, formant un couvert épais et impénétrable. Avec le temps, ça devient un endroit isolé, inaccessible, et la personne qui l'ignore ne peut l'apercevoir. De cette façon, des siècles plus tard, l'initié peut toujours la trouver.

Il observa les alentours.

— Ce qui joue en notre faveur, c'est que cette forêt est isolée. J'ai bon espoir.

— En supposant que ce soit une vraie carte, dit Caitlin en se faisant l'avocat du diable. Elle a peut-être été cachée par quelqu'un. C'est peut-être une fausse piste.

Caleb la regarda et lui adressa un sourire.

— Tu as l'esprit un peu trop subtil, dit-il. Tu réfléchis peut-être trop à la question. Oui, c'est possible. Mais j'en doute. Ce parchemin est authentique.

Il prit sa main, et ils s'enfoncèrent dans la forêt. Tout ce qu'on entendait, c'était le bruissement des feuilles de l'automne précédent. Elle sentait le froid la geler jusqu'aux os.

Soudainement, Caleb retira son grand manteau de cuir. Il le posa sur les épaules de Caitlin. Comme toujours, elle était stupéfaite de voir jusqu'à quel point il lisait facilement dans son esprit, et elle fut touchée par sa générosité.

— Non, dit-elle, je ne peux pas…

— Je t'en prie, dit-il. Je n'ai pas froid.

Pendant qu'il l'enveloppait dans son manteau, Caitlin aima la sensation que ce dernier procurait. Il était très lourd, et il avait conservé la chaleur du corps de Caleb. Elle aimait l'odeur du cuir. Il semblait parfaitement assoupli, épousant son corps. Il était si confortable qu'on aurait cru qu'il avait été porté pendant des centaines d'années. Il était beaucoup trop grand pour elle, mais il lui convenait quand même parfaitement. En le portant, elle avait l'impression qu'ils étaient copains. Qu'il était son petit ami, et qu'elle était sa petite amie. Elle adorait cette sensation.

Caleb examina le parchemin et reporta son attention sur le bois. Toujours rien.

Caitlin se tourna dans toutes les directions, scrutant les ténèbres avec insistance.

Pendant que ses yeux s'ajustaient, elle crut avoir aperçu quelque chose.

— Caleb, dit-elle.

Il se retourna, et elle pointa un doigt.

— Tu vois ça? À l'horizon. On dirait un tas de broussailles. Qu'en penses-tu?

Il regarda dans la direction indiquée en plissant les yeux. Il prit finalement la main de Caitlin et la guida vers l'endroit.

— Nous n'avons rien à perdre, dit-il.

Pendant qu'ils s'approchaient, faisant craquer les feuilles, Caitlin se sentit encouragée. C'était un immense fourré de broussailles, de buissons d'épines et de branches entremêlées. Ça ressemblait presque à un mur. Ils firent le tour, et il devait bien y avoir trente mètres de profondeur dans toutes les directions. C'était impénétrable. Si quelque chose ressemblait à ce qu'il lui avait décrit, c'était bien ça. Personne ne pouvait s'aventurer dans cette barrière végétale, à moins d'avoir une machette et d'être décidé à donner des coups pendant plusieurs jours. S'il y avait quelque chose au centre, personne n'y avait touché depuis des années.

Encore une fois, ce n'était peut-être qu'une immense touffe de branches et d'épines. Et ils ne trouveraient peut-être que d'autres buissons épineux pour les récompenser de leur peine.

Caleb fit lentement un signe de la tête.

— Oui, dit-il. C'est peut-être là.

Il étudia la végétation pendant un moment, avant de dire :

— Recule.

Caitlin fit plusieurs pas en arrière, se demandant ce qu'il allait faire.

Caleb tira ses manches vers le bas, pour couvrir ses mains, afin de les protéger. Il brandit ses bras devant lui et, avec sa force incroyable, se fraya un chemin dans les branches enchevêtrées. C'était incroyable, comme de regarder une scie à chaîne mordre dans les broussailles.

En quelques secondes, il avait creusé un chemin, assez large pour laisser passer une personne. Il s'était enfoncé assez loin dans le massif, lorsqu'elle entendit sa voix lui crier :

— Par ici!

Caitlin suivit le sentier étroit, se glissant entre les touffes de branches, sur une distance d'au moins neuf mètres. Elle parvint jusqu'à Caleb.

Par-dessus l'épaule de Caleb, elle aperçut un petit mur de pierre.

— Tu l'as trouvée, dit-il en esquissant un sourire.

Il coupa encore quelques branches, et dégagea une petite entrée en forme d'arche, permettant de pénétrer dans la maisonnette en pierre. Il entra, en prenant la main de Caitlin qui le suivit de près.

L'endroit était sombre et sentait le renfermé, et ils firent quelques pas hésitants à l'intérieur, avant que Caleb ne s'arrête soudainement. Ils entendirent quelque chose rouler à leurs pieds. Caleb se pencha pour voir de quoi il s'agissait. Il souleva quelque chose.

— Qu'est-ce que c'est ? demanda-t-elle.

Il le souleva assez haut, mais elle ne pouvait pas vraiment voir dans le noir. Il dit enfin :

— De vieilles chandelles. Je pense qu'elles sont intactes. Tiens-ça.

Caitlin prit la chandelle, et Caleb frotta ses mains à une vitesse vertigineuse. Elle n'avait jamais rien vu de semblable. Après quelques secondes, ses mains bougeaient si vite qu'elle pouvait sentir la chaleur qui s'en dégageait. Il plaça ses mains sur le bout de la chandelle et les y laissa. Après un instant, il les retira et, à la grande surprise de Caitlin, la chandelle était allumée. Elle le regarda avec stupéfaction. Elle aurait aimé pouvoir faire ça elle aussi.

— Il faudra que tu m'apprennes ce tour, dit-elle avec un sourire.

Dans la lumière de la chandelle, elle put voir son sourire. Elle abaissa la chandelle vers le plancher et éclaira d'autres chandelles éparpillées. C'était donc ça le bruit de roulement qu'ils avaient entendu. Il ramassa une chandelle et redressa sa mèche. Caitlin approcha sa chandelle pour l'allumer. Ils avaient maintenant tous deux une chandelle allumée. C'était suffisant pour éclairer l'endroit.

La maisonnette était minuscule, juste assez haute pour qu'elle puisse se tenir debout, et juste assez basse pour que Caleb soit obligé de se pencher. Sa seule pièce n'était pas très grande, peut-être trois mètres par trois mètres. Les murs étaient en pierre et, même s'ils n'étaient pas parfaitement alignés, il ne semblait pas y avoir d'endroit où cacher quelque chose. Sur le mur du fond se trouvait un petit foyer, rempli de branches qui avaient dû s'infiltrer par la petite cheminée au cours des siècles.

Elle inspecta le sol et vit que le plancher était fait de planches de bois. De façon étonnante, elles étaient toujours intactes. Mais ça semblait logique. La maisonnette ne possédait pas de fenêtre et, hormis la cheminée et la porte, il n'y avait pas d'entrée pour les éléments. Et, étant donné l'épaisseur du fourré qui entourait la maison, aucun élément ne s'était approché de cette maison depuis des siècles.

Par ailleurs, il n'y avait pas grand-chose à voir, et aucun endroit évident où cacher quelque chose. L'intérieur était complètement nu. Ils semblaient se heurter à une nouvelle impasse.

Au moins, l'intérieur était à l'abri des intempéries et douillet. Ils pourraient toujours passer la nuit ici. Se réchauffer, se reposer un peu.

— Penses-tu pouvoir faire un feu? demanda-t-elle.

Il examina l'âtre.

— Pourquoi pas?

Il lui prêta sa chandelle, s'approcha du foyer et retira rapidement tous les débris et les branches. La poussière fit éternuer Caitlin.

Il glissa les bras dans la cheminée et retira davantage de branches. Il les rassembla et les sortit de la maisonnette.

Caitlin put l'entendre grimper sur le toit, puis enlever d'autres branches de la cheminée. Elle sentit soudainement un petit courant d'air, et comprit qu'il l'avait complètement dégagée. Quelques secondes plus tard, il était de retour à l'intérieur, transportant une brassée de bois sec, prêt à brûler. Elle s'étonna de la vitesse à laquelle il faisait toute chose. La vitesse de la race des vampires. C'était incroyable. En comparaison, elle se sentait comme une limace.

Il mit le bois dans le foyer, reprit la chandelle des mains de Caitlin, et alluma le bois en plusieurs endroits. Après quelques minutes, un feu crépitait dans la douillette maisonnette. Elle était heureuse de sentir le feu la réchauffer.

Elle enfonça leurs chandelles dans les murs de pierre, très haut, et, avec la lumière des chandelles et celle que produisait le feu, la pièce était maintenant bien éclairée et tiède. Maintenant qu'elle avait les mains libres, elle s'approcha du feu et s'assit le dos contre le mur de pierre. Elle frotta ses mains au-dessus du feu, et commença à se sentir mieux.

Caleb l'imita, en s'assoyant de l'autre côté du feu, le dos contre le mur. Ils se faisaient face dans la petite pièce, leurs pieds se touchant presque.

Caleb examina la pièce, regardant le plancher, scrutant les murs, puis le plafond. Il regarda attentivement les briques du foyer, inspectant chaque détail. Caitlin scruta elle aussi la pièce. Ils avaient tous deux la même idée : qu'est-ce qu'on avait pu cacher ici ? Et où ?

— C'est le bon endroit, dit Caleb. C'est ici qu'Élizabeth vivait. La question est : pourquoi la carte nous envoie-t-elle ici ? Je ne vois rien, dit-il enfin sur un ton de défaite.

— Moi non plus, admit Caitlin.

Un silence paisible tomba sur eux. Après les événements tumultueux de la journée, elle était épuisée. Elle était simplement reconnaissante qu'ils aient un abri pour la nuit, et trop fatiguée pour penser à quoi que ce soit d'autre. Elle aimait la sensation de son manteau sur ses épaules. Elle sentit la forme de son journal, qui se trouvait toujours dans la poche de son jeans. Elle avait envie d'y écrire. Mais elle était trop fatiguée.

Elle regarda de l'autre côté de la pièce et étudia Caleb. Elle s'émerveilla qu'il soit si insensible au froid, à la fatigue, voire à la faim. À vrai dire, il semblait même retrouver son énergie la nuit. Il semblait toujours en parfaite forme, malgré tout ce qu'ils venaient de vivre. Malgré qu'il ait reçu une balle. Elle regarda son bras, et constata qu'il était presque entièrement guéri.

Tandis qu'il observait le feu, perdu dans ses pensées, ses yeux brillèrent d'une lueur brun foncé, et elle sentit le besoin d'en apprendre plus sur lui.

— Parle-moi de toi, dit Caitlin. S'il te plaît.

— Que veux-tu savoir ? demanda-t-il en fixant toujours le feu du regard.

— Tout, dit-elle. Les choses que tu as vues... je n'arrive même pas à le concevoir. De quoi te souviens-tu le plus ?

Un long silence emplit la pièce, tandis que Caleb réfléchissait, les sourcils froncés.

— C'est difficile à dire, commença-t-il d'une voix douce. Au début, dans les premières vies, j'étais seulement subjugué par le fait d'être encore en vie, siècle après siècle. Je vivais, tandis que tous ceux que j'aimais étaient morts. Au début, on commence à perdre ses amis et sa famille, puis tous ceux qu'on a aimés. C'est ce qui fait le plus mal. C'est la période la plus difficile. On commence à se sentir très, très seul. Après le premier 100 ans, on commence à s'attacher aux lieux plutôt qu'aux gens. Aux villages, aux villes, aux monuments, aux montagnes. C'est à ça qu'on s'accroche. Mais les siècles se succèdent, et même ces endroits disparaissent. Les villes disparaissent. De nouvelles villes se construisent. Des nations assimilent d'autres nations. Les guerres détruisent toutes les cultures qu'on a aimées. Des langues meurent. Alors, on ne s'accroche plus aux lieux.

Il se racla la gorge, en réfléchissant.

— Lorsque les endroits qu'on a aimés disparaissent, on s'accroche aux possessions. Pendant des siècles, j'ai collectionné des objets anciens, des trésors inestimables. J'y ai pris beaucoup de plaisir. Mais après quelques siècles, tout ça perd aussi de son intérêt. Ça devient insignifiant. Finalement, après des milliers d'années, on voit la vie différemment. On ne s'attache plus aux gens, ni aux lieux, ni aux possessions. On ne s'attache plus à rien.

— Alors, qu'est-ce qui te reste? demanda enfin Caitlin. Tu dois bien te sentir concerné par quelque chose.

Caleb la fixa, fouillant dans ses pensées.

— Je suppose, dit-il enfin, que ce qui demeure, quand tout le reste s'est écroulé, ce sont... des impressions.

— Des impressions?

— Les impressions que nous laissent certaines personnes. Les souvenirs des moments partagés. La façon dont ils nous ont touchés.

Caitlin pesa ses mots, avant de poser sa question.

— Veux-tu dire... les relations? Comme dans une relation amoureuse?

Un silence emplit la pièce. Elle put sentir qu'il pesait lui aussi ses mots.

— Il y a plusieurs sortes de relations qui comptent, répondit-il enfin. Mais au bout du compte, ce sont probablement les relations amoureuses qui nous marquent le plus. Mais il y a plus. Au début, ce n'est que la passion qui compte. Mais avec le temps, l'autre personne... occupe une petite partie de nous-même. Je ne sais vraiment pas comment l'expliquer autrement. Mais après tous les siècles, c'est ce qui reste.

Caitlin fut touchée de son honnêteté. Elle pensait qu'il allait parler de l'endroit où il était né, où il avait grandi. Mais il en avait révélé beaucoup plus, comme d'habitude. Les mots de Caleb trouvaient un écho en elle, mais elle ne savait trop pourquoi. Elle ne savait quoi répondre.

— Après un tel espace de temps, enchaîna-t-il, lorsqu'on rencontre des gens, on essaie immédiatement de replacer comment on les a connus dans une autre vie. J'ai découvert qu'avec tous ceux que je rencontre aujourd'hui, j'ai déjà passé une période significative dans une autre incarnation. Ils ne se le rappellent pas, mais moi je m'en souviens toujours. Je n'attends que le moment où je retrouverai comment je les ai connus auparavant. Puis ça me revient, et tout prend un sens.

Caitlin était inquiète de poser la question suivante. Elle hésita.

— Alors… et pour nous deux ?

Caitlin fronça les sourcils, tandis qu'il plongeait son regard dans le feu. Il attendit un long moment avant de répondre.

— Tu es la seule que j'aie rencontrée pour qui tout est… obscur. Je sais, d'une manière ou d'une autre, que je t'ai déjà connue. Mais je ne sais toujours pas comment. Quelque chose se dérobe à moi, et je ne comprends pas pourquoi. Je ne peux que supposer qu'il y ait quelque chose à propos de toi — de nous — que je ne sois pas censé savoir.

Caitlin ne savait trop quoi dire. Elle était toute retournée par les sentiments qu'elle avait pour lui, et préférait se taire. Elle savait que tout ce qu'elle pourrait dire risquait de sortir de travers.

Elle se leva et saisit une bûche. D'une main tremblante, elle tenta de la lancer dans le feu. Mais elle était si nerveuse que la bûche lui glissa d'entre les mains, tombant sur le plancher en produisant un bruit sourd.

Caitlin et Caleb s'immobilisèrent tous deux, et échangèrent un regard. Le bruit produit par le bois : celui d'un son creux. Les lattes de bois. Il y avait quelque chose dessous.

Au même instant, ils se précipitèrent à l'endroit du plancher où était tombée la bûche. Caleb caressa la surface de la main. Il venait de balayer des siècles de poussière, révélant le bois nu. Caleb le frappa avec les jointures. Le bois sonna encore creux.

— Recule, dit-il.

Caitlin s'adossa contre le mur.

Pendant ce temps, il tira son bras vers l'arrière et donna un coup de poing sur le plancher de bois. Il y eut un bruit de craquement, tandis qu'il perçait un trou dans le bois. Il passa sa main dans le trou et arracha plusieurs lattes de bois.

Caitlin attrapa une chandelle et la passa dans le trou. Il n'y avait pas beaucoup d'espace, et ils pouvaient apercevoir la saleté sur le sol. Caitlin déplaça la chandelle. Au début, il semblait n'y avoir rien. Mais en faisant passer la chandelle dans un coin, elle remarqua soudainement quelque chose.

— Là.

Caitlin tendit la main et sortit lentement quelque chose. Elle le tint en l'air pour en retirer trois centimètres de poussière.

C'était un petit sac à cordon en satin rouge. Bien attaché.

Elle tendit la chandelle à Caleb et commença à l'ouvrir. Elle se demanda ce qu'il pouvait bien contenir. Une pièce de monnaie? Un bijou? Son cœur s'accéléra soudainement sous l'effet de l'excitation, comme elle l'ouvrait enfin. Elle fouilla délicatement et sentit quelque chose de froid et métallique.

Elle sortit l'objet, et ils l'examinèrent très attentivement.

C'était une petite clé.

Elle regarda à nouveau dans le sac à cordon, pour s'assurer qu'il n'y avait rien d'autre. C'était tout. Juste une clé.

Elle la tendit à Caleb. Il la souleva en s'approchant du feu, l'examinant dans tous les sens.

— Est-ce que tu la reconnais? demanda Caitlin.

Il secoua la tête.

Caitlin vint le rejoindre, se rapprochant de lui. Ils s'assirent près du feu, et elle prit la clé. En la retournant, elle remarqua quelque chose. Elle mouilla son doigt de salive et le frotta contre le métal. Elle effaça une fine couche de poussière, révélant une fine inscription, tracée par une main d'écriture délicate.

La Maison Vincent.

Elle regarda Caleb.

— Ça te dit quelque chose?

Il redressa le dos, secoua la tête et poussa un soupir.

— Je pense que notre quête n'est pas terminée, dit-il enfin.

Elle put percevoir la déception dans sa voix. Il s'attendait manifestement à trouver l'épée ici. Elle était désolée, et se sentit d'une manière ou d'une autre responsable. Elle aussi commençait à se sentir frustrée de toutes ces énigmes. Elle s'adossa à son tour, se préparant à ce qu'elle supposa devoir être une longue quête. Au moins, cet endroit avait livré un indice. Au moins, ce n'était pas un cul-de-sac. Maintenant, au moins, ils avaient une clé. Mais qui devait servir à quoi?

Avant qu'elle ne puisse poursuivre le fil de ses pensées, Caitlin s'agenouilla soudainement, frappée par la douleur. Elle avait une crampe de faim violente, la pire qu'elle ait jamais ressentie. Elle pouvait à peine respirer.

Elle sentit une main se poser sur son épaule.

— Caitlin?

Il n'attendit pas sa réponse. Elle sentit une poigne solide sous son bras, tandis qu'il la soulevait et l'entraînait à toute vitesse hors de la maisonnette, fendant les broussailles et s'enfonçant dans la forêt.

Comme les crampes l'assaillaient encore et encore, elle se sentait portée dans la forêt, et voyait les arbres défiler à une vitesse prodigieuse.

Elle sentait la rage monter en elle. Le désir de se nourrir. De tuer. Son corps changeait rapidement et, pendant qu'elle se tortillait entre les bras de Caleb, elle se demanda si elle pourrait garder longtemps le contrôle.

Caleb s'arrêta finalement, la posant par terre et l'aidant à se remettre sur pieds. Il la tint fermement par les épaules, et la regarda directement dans les yeux.

— Tu dois m'écouter. Je sais que c'est difficile de te concentrer en ce moment. Mais tu dois le faire.

Elle essaya tant bien que mal de se concentrer sur ses paroles, ses yeux. Le monde autour d'elle s'évanouissait dans un nuage rouge, et le besoin de tuer coulait dans ses veines.

— Tu as besoin de te nourrir. Tu as besoin de sang. Maintenant. Nous sommes dans la forêt. Je peux t'enseigner. Nous pouvons chasser ensemble.

Enseigner. Enseigner. Elle essayait de saisir le sens de ses mots.

Elle sentit qu'on la tirait et, avant qu'elle ne puisse s'en rendre compte, ils s'enfonçaient à toute vitesse dans la nuit.

Chapitre 13

Samantha s'éveilla à la pointe du jour, et regarda autour d'elle. Là, dans le lit, à côté d'elle, se trouvait l'adolescent. Sam. Il avait été si facile à séduire. Elle se sentait presque mal. Elle savait qu'elle avait violé une loi en couchant avec un humain, mais ce dernier était si jeune et fringant, qu'elle s'était permis une petite entorse au règlement. Pourquoi pas? Personne ne le saurait jamais. Évidemment, elle ne le raconterait jamais, et elle ne laisserait pas vivre Sam assez long-temps pour qu'il puisse le raconter à qui que ce soit. Une fois tous les quelques siècles, il fallait bien qu'elle succombe à la tentation. Il fallait qu'elle se permette au moins ça.

En plus, il y avait quelque chose en lui, quelque chose qui, pour un humain, le rendait presque tolé-rable. En fait, pour être tout à fait franche, plus que tolérable. Elle ne pouvait mettre le doigt dessus, et cela l'ennuyait plus que tout le reste.

Troublée par ses sentiments, elle s'assit, toujours nue, et d'un seul mouvement vif sauta sur ses pieds et marcha silencieusement dans la pièce. Elle ramassa ses vêtements et s'habilla rapidement, en regardant dehors par les portes coulissantes vitrées. Le jour se levait. *Que c'est ironique*, pensa-t-elle. *Dormir durant la nuit et se réveiller au petit matin. Comme un humain.* Cette pensée la fit frémir, mais il faut parfois faire une exception.

Elle jeta un coup d'œil par-dessus son épaule et aperçut le garçon qui dormait à poings fermés. Elle l'avait épuisé, c'est certain. Elle savait qu'il n'avait jamais connu une expérience comme celle-là, et qu'il n'en revivrait jamais. Après tout, elle avait plus de 2 000 ans d'expérience. Il avait bien de la chance. Du moins, pour l'instant. Il serait plutôt malchanceux, dans les semaines à venir, lorsqu'elle en aurait fini avec lui et qu'elle saurait tout ce qu'il faut savoir sur son père. Alors, elle se débarrasserait de lui. Mais pour l'instant, il faisait un jouet divertissant. Très divertissant.

Il dormait toujours profondément, et elle était très souple et agile dans ses déplacements. Comme un chat. Elle pourrait sautiller dans toute la maison, et il n'entendrait jamais rien, à moins qu'elle ne veuille qu'il l'entende. C'était un des nombreux avantages d'être un vampire.

Il était si naïf : il avait vraiment cru que cette maison lui appartenait. Elle s'était inquiétée de la façon dont elle pourrait expliquer l'absence de couvertures, de draps ou d'oreillers — ou de quoi que ce soit d'autre dans la maison — mais, à sa grande surprise, il n'avait posé aucune question. Et l'endroit était au moins partiellement meublé. Probablement l'œuvre d'un agent immobilier désespéré, qui essayait de faire un peu de valorisation résidentielle en vue d'hypothétiques visites. Au moins, elle avait fait bon usage de tous ses efforts.

Elle sentit la chaleur parcourir ses veines, et savait qu'elle ne pourrait attendre plus longtemps. Il fallait qu'elle se nourrisse. Ça lui avait été difficile : s'accoupler avec lui et ne pas tout finir comme d'habitude, en se nourrissant. Mais elle avait besoin de lui vivant. Il était la clé, et elle avait dû se contrôler. Mais ça ne lui ôtait pas la faim, et tandis qu'elle marchait dans la maison vide, en regardant vers l'horizon qui s'illuminait graduellement, scrutant la route de campagne vide, elle se demanda si un humain sans méfiance pourrait passer par ici. Peut-être un jeune enfant, qui se serait levé trop tôt. Ce serait parfait.

Avant qu'elle ne termine ses pensées, une BMW rutilante apparut sur la route et se gara dans l'allée. Elle entendit le bruit du gravier, pendant que les pneus reluisants se frayaient lentement un chemin jusqu'à la maison. Bon sang, se demanda-t-elle, qui peut bien emprunter l'allée à cette heure de la journée ? Qui savait qu'elle se trouvait là ?

Son cœur s'arrêta un instant, comme elle se demandait si ça pouvait être un membre de son cercle. Quelqu'un avait-il aperçu son accouplement ? Est-ce qu'un vampire rival l'avait dénoncée, et qu'ils venaient pour la punir ?

La portière s'ouvrit, et un humain sortit de la voiture, portant un habit bon marché et tenant une pancarte « à vendre » sous le bras. Il se dirigea vers l'entrée de la maison.

Elle était si soulagée qu'elle rit à gorge déployée. Ce n'était qu'un autre humain pathétique. Et celui-là, c'était un vrai agent immobilier. Les pires de tous.

Bien sûr, cela expliquait tout le reste. Il se préparait à faire visiter la maison, probablement en visite libre, et il venait de bon matin pour s'assurer que tout était en ordre. Trop zélé. Et désespéré.

En le regardant s'approcher, elle remarqua qu'il fronçait les sourcils de perplexité, puis de préoccupation. Il remarquait un à un les signes montrant que la maison était occupée. La camionnette de Sam dans l'allée. Une lumière allumée. Il semblait complètement embrouillé, comme s'il se creusait les méninges pour se rappeler s'il avait laissé la lumière allumée, ou pour se demander à qui pouvait appartenir l'autre véhicule. Puis, comme il semblait réaliser qu'il y avait autre chose, son visage afficha une expression de contrariété.

Samantha sourit. Elle aimait le voir contrarié, et se réjouissait d'avance de savoir que ce serait pire encore. Elle ne pouvait plus se contenir.

Elle ouvrit la porte d'entrée toute grande, et sortit, se dirigeant droit sur lui.

L'expression de l'agent passa à l'indignation pure et simple.

— Nom d'un chien, qu'est-ce que vous faites dans cette maison? cria-t-il en traversant la pelouse, l'air suffisant, dans sa direction. Réalisez-vous que c'est une entrée par effraction? Vous, les jeunes, pensez que c'est seulement des blagues, que vous pouvez vous installer où ça vous chante. Ça me rend dingue. Vous ne vous en sortirez pas comme ça cette fois. J'en ai assez de toutes ces manières !

Il beuglait tout en sortant son cellulaire. Il continua de bomber le torse en s'approchant d'elle.

Le sourire de Samantha s'agrandit, ce qui le mit hors de lui.

— Tu penses que c'est une blague, hein ? dit-il en portant son téléphone à son oreille et en accélérant le pas.

Il l'attrapa durement par le bras, et se retourna en pensant qu'il allait l'expulser du terrain.

Son visage afficha une expression d'horreur, quand il comprit qu'elle avait d'autres projets. Avant que les doigts de l'agent immobilier ne puissent s'enfoncer complètement dans la peau de Samantha, elle repoussa son bras d'un mouvement vif, puis le tordit vers l'arrière, le cassant net en deux.

Le visage de l'agent immobilier convulsa de douleur, et il s'apprêta à hurler. Mais avant qu'un seul son ne sorte de sa gorge, elle avait agrippé sa tête et la projetait vers le bas contre son genou. Il y eut un craquement, puis plus rien. Le corps s'affaissa mollement.

Avant même que le corps ne touche le sol, elle avait foncé, plongeant ses dents profondément dans le cou. Ses yeux se révulsèrent tandis qu'elle se nourrissait. Elle eut un sentiment d'extase pendant que le sang de la victime parcourait son corps.

Lorsqu'elle eut fini, elle ramassa le corps sans vie, se dirigea vers sa voiture, ouvrit le coffre et y jeta le corps. Avant de le refermer, elle fouilla les poches de son pantalon pour en retirer les clés de la voiture.

Elle retourna à la maison, essuyant les dernières traces de sang autour de sa bouche, et admira le ciel matinal.

Ça s'annonçait pour être une journée formidable.

Chapitre 14

Caitlin courait. Elle était de nouveau dans le champ, courant dans les herbes hautes. C'était l'aurore et, pendant qu'elle courait, le monde semblait pivoter. Elle avait l'impression de foncer directement vers le grand soleil brillant.

À l'horizon se tenait son père, sa silhouette éclairée par le soleil. Ses bras étaient grands ouverts, attendant de l'étreindre. Elle ne pouvait distinguer ses traits, mais elle savait qu'il souriait, en attendant de la serrer dans ses bras. Si seulement elle pouvait courir plus vite.

Caitlin courut de toutes ses forces mais, peu importe l'effort qu'elle y mettait, il continuait de s'éloigner.

Elle n'était pas surprise. Ça se passait toujours comme ça dans ce rêve. Une partie d'elle-même le savait, même si elle était en train de rêver.

Mais cette fois, il se produisit quelque chose. Cette fois, soudainement, elle gagna du terrain. En fait, elle se rapprochait.

Elle était à 50 mètres de lui, puis à 20, et à 10. Pour la première fois, elle pouvait le voir. Il se tenait là, tel un colosse, si grand et fier, dans toute sa gloire, illuminé par le soleil. C'était un bel homme. Un guerrier. D'une certaine manière, il ressemblait à Caleb.

Elle courut directement dans ses bras et se serra fort contre lui. Il l'étreignit à son tour. C'était si bon d'être enfin dans ses bras.

— Papa ! s'écria-t-elle.

— Mon enfant, dit-il d'une voix profonde, magnifique et rassurante. Tu m'as tellement manquée. Je veillais sur toi. Et je suis si fier de toi, dit-il.

Il la prit par les épaules, la reculant d'une longueur de bras, et plongea ses yeux dans les siens.

Ses yeux étaient jaune vif, de la couleur du soleil, et étincelaient devant elle.

Elle pouvait à peine supporter leur éclat, mais elle ne voulait pas s'en détourner non plus. Ils irradiaient une telle chaleur humaine et un tel amour.

— Te souviens-tu, Caitlin ? demanda-t-il. Te souviens-tu quand tu étais petite ? Où nous avions l'habitude d'aller ? Les falaises. Les falaises rouges.

Une image apparut soudainement dans son esprit : celle de falaises rouges immenses, couvertes de rochers gigantesques, entourant la plage, et s'avançant dans l'eau. Un endroit magique. Oui, elle s'en souvenait. Ça lui revenait.

— Viens m'y retrouver, dit-il. Poursuis ta quête. Et viens m'y retrouver.

Il commença à disparaître et, quand elle essaya de le toucher, il avait soudain disparu.

Caitlin se réveilla en sursaut.

Elle était étendue sur le dos, regardant vers la cime des arbres. Au loin, elle entrevoyait le ciel entre les arbres. Elle vit passer un filet de nuage.

Elle n'avait aucune idée de l'endroit où elle se trouvait, et elle avait encore l'impression de rêver. Elle pouvait entendre le murmure du vent qui agitait les branches délicates, sans feuilles, et on aurait dit que le monde entier était vivant, qu'il remuait et bruissait.

Même si elle se trouvait dehors, elle se sentit bien installée. Elle regarda sous elle et s'aperçut qu'elle était étendue sur un lit d'aiguilles de pin molles. À courte distance, se trouvait Caleb. Elle sentit son cœur se gonfler. C'était bon de dormir si près de lui. Elle souhaita qu'il ne se réveille pas de sitôt, afin qu'elle puisse rester étendue ainsi pour toujours. Tout semblait parfaitement à sa place.

Elle regarda de nouveau en direction du ciel, en essayant de se rappeler comment ils s'étaient rendus là. Elle essaya de se souvenir de la nuit précédente.

Elle se rappela s'être nourrie. Il y avait une petite famille de cerfs, et Caleb avait aidé Caitlin à se calmer. Il lui avait appris à se mettre à l'affût. Il lui avait montré comment se contrôler. Elle se rappela avoir retrouvé sa lucidité.

Une fois qu'elle fut passée à l'attaque, son corps l'avait surprise, il lui avait dit quoi faire, où aller. Elle avait foncé dans le bois à la vitesse de l'éclair, puis avait bondi.

Elle se rappela avoir entouré le cou du cerf avec ses bras, puis il avait détalé. Il courait vite, beaucoup plus vite qu'elle ne l'aurait imaginé. Mais, au bout du compte, elle avait trouvé la veine et y avait plongé ses dents. La sensation était tout simplement électrisante.

Elle ne s'était jamais sentie aussi vivante que lorsque le sang du cerf avait coulé dans ses veines. Elle était en feu. Rajeunie.

Lentement, ses crampes douloureuses avaient disparu, en même temps que la faim. Elle se sentait plus puissante que jamais. Comme si le monde lui appartenait.

Elle jeta un coup d'œil à Caleb. Il s'était nourri lui aussi, la nuit dernière. Ils s'étaient retrouvés après coup, grisés, puis extrêmement fatigués.

Ils s'étaient étendus sur le sol de la forêt, l'un près de l'autre, et avaient regardé les arbres qui se balançaient. Écoutant le vent.

Puis, très rapidement, ils s'étaient assoupis.

Maintenant qu'ils étaient étendus là, elle s'avança petit à petit vers lui, voulant savoir ce que ça faisait d'être dans ses bras. Elle portait toujours le manteau de cuir de Caleb, et elle tendit la main, qui dépassa à peine des manches, pour glisser le dos de sa main sur la joue de Caleb. La peau était si douce. Elle s'imagina qu'ils étaient ensemble, formant un couple.

Caitlin entendit soudainement un bruissement, et elle s'assit le dos bien droit.

Droit devant elle, une meute de loups se rapprochait lentement. Elle n'avait jamais vu de loup auparavant, et ne savait pas comment réagir. De manière étrange, elle n'avait pas peur. Elle était intriguée, hypnotisée. En fait, pendant qu'elle les regardait, elle sentit entre eux une sorte de parenté étrange.

Tout en guettant, elle tendit la main pour secouer Caleb.

Il se redressa brusquement à côté d'elle, tous ses sens en alerte. Ils observèrent la meute qui se rapprochait, qui n'était plus qu'à quelques mètres, reniflant et les encerclant.

— N'aie pas peur, dit Caleb d'une voix douce. Je peux sentir leurs pensées. Ils sont seulement curieux. Ne bouge pas.

Caitlin resta assise immobile, regardant le chef se rapprocher d'elle, à quelques centimètres de son visage, posant son museau directement sur sa joue.

Il y eut un moment de tension, pendant que Caitlin se demandait comment réagir. Son cœur battait la chamade, et elle avait envie de le repousser. Mais au lieu de cela, elle suivit les consignes de Caleb et resta immobile.

Soudainement, le loup se détourna et s'éloigna.

Toute la meute lui emboîta le pas.

Sauf un. Un petit loup, très jeune, à peine plus gros qu'un chiot, s'attardait. Il boitait. Il jeta un regard en direction de la meute, puis se retourna pour fixer Caitlin. Il marcha vers elle.

Il grimpa sur sa cuisse, s'assit et baissa la tête. Il était évident qu'il ne voulait pas partir.

— La meute ne veut plus d'elle, dit Caleb. Elle est blessée. Elle est un handicap. Ils sont trop affamés pour l'attendre. Ils l'ont abandonnée.

Caitlin essaya de se concentrer, tentant de lire les pensées de l'animal comme l'avait fait Caleb. Elle ne pouvait les déchiffrer exactement, mais elle sentait une énergie, ses sentiments. La jeune louve se sentait très seule. Et effrayée.

Caitlin tendit les bras, la souleva et la serra contre elle. Tandis qu'elle caressait la tête de l'animal, ce dernier se pencha et lui lécha le visage.

Caitlin sourit.

— Tu t'es fait une amie, dit Caleb.

— Est-ce qu'on peut la prendre avec nous? demanda-t-elle.

Caleb fronça les sourcils.

— Ce ne serait pas une bonne idée, dit-il. Son odeur... pourrait attirer d'autres choses.

— Mais nous ne pouvons la laisser ici, plaida Caitlin, se sentant soudain très protectrice. Nous ne *pouvons pas.*

— Il y aura de grands dangers où nous irons. Elle pourrait être prise entre deux feux.

— Et elle ne serait pas en danger ici? demanda-t-elle. Si nous l'abandonnons, elle mourra.

Caleb réfléchit pendant un long moment.

— Je pense que nous pouvons la prendre avec nous...

La louve, comme si elle avait compris, courut et sauta dans les bras de Caleb, pour lui lécher le visage. Le visage de Caleb se fendit d'un grand sourire, pendant qu'il la caressait.

— Allons, allons, ça suffit petite fille.

— Comment allons-nous l'appeler ? demanda Caitlin.

Caleb réfléchit.

— Je ne sais pas, dit-il enfin.

Elle eut une inspiration soudaine. La rose et l'épine.

— Rose, dit-elle subitement. Appelons-la Rose.

Caleb la regarda, puis approuva d'un signe de tête.

— Rose, dit-il. Oui, c'est parfait.

Comme si elle répondait à son nouveau nom, Rose courut jusqu'aux cuisses de Caitlin, et se serra contre sa poitrine.

— Une famille de loups est un signe très puissant, dit Caleb. Cela signifie que l'énergie de la nature est avec nous. Nous ne sommes pas seuls pour mener notre quête.

— J'ai fait un rêve la nuit dernière, se souvint Caitlin. Il n'était pas comme ceux que je faisais auparavant. Il était si vivant. C'était comme… une visite. De mon père.

Caleb se retourna et la fixa du regard.

— Dans ce rêve, tout m'est revenu. Un vieux souvenir. Un été, je m'en souviens, il est parti avec moi. Il m'a emmenée dans une île. Il y avait ces énormes rochers sur le bord de l'océan, et ces falaises escarpées, ces falaises rouges qui luisaient au soleil…

Un éclair traversa soudainement les yeux de Caleb.

— Tu as rêvé aux falaises d'Aquinnah, dit-il. Oui, c'est parfaitement logique.

— Dans mon rêve, il m'a dit d'y retourner. Il m'a dit… de le *retrouver* là.

— Ce n'était pas un rêve, dit Caleb en s'assoyant plus droit. Les vampires se visitent dans les rêves du petit matin. Ton père veut que nous allions aux falaises.

— Et la clé qu'on vient juste de trouver? demanda Caitlin.

— Nous ne savons pas à quoi elle sert, répondit-il. La Maison Vincent peut se trouver n'importe où. C'est comme si on se trouvait dans un cul-de-sac. Nous n'avons aucune autre destination valable.

Caleb se leva.

— Nous devons nous rendre immédiatement aux falaises.

Chapitre 15

Sam s'éveilla dans l'étrange chambre à coucher et regarda autour de lui. Il essaya de se rappeler où il se trouvait. Le lit était confortable, beaucoup plus que ce à quoi il avait été habitué dernièrement. Mais il ne pouvait se rappeler à qui il appartenait, ni ce que lui-même faisait là.

Puis, tout lui revint en mémoire. Samantha.

Il la chercha du regard, mais elle était partie. Est-ce que tout ça s'était réellement produit? Ou bien n'était-ce qu'un rêve?

Il s'assit et se frotta les yeux. Il se rendit compte qu'il était nu, couché sur un matelas sans aucune autre literie. Ses vêtements étaient éparpillés sur le sol. Il était épuisé, mais c'était une sensation agréable. Il était un nouvel homme. *Homme* était le mot important. Il se réveillait en se sentant un homme pour la première fois de sa vie. Il n'avait jamais connu une nuit comme celle-là auparavant, et il supposait déjà qu'il n'en connaîtrait jamais d'autres. Elle était incroyable.

Sam sauta sur ses pieds, s'habilla et se promena dans la maison vide. Il regarda à travers les portes vitrées, et vit que le jour se levait. Ça aussi, c'était dément. Il n'avait pas vu le soleil se lever depuis un bon bout de temps. En fait, peu importe le jour, il lui arrivait rarement de se lever avant midi.

Il avait faim et soif, mais se sentait surtout éreinté.

— Samantha ? appela-t-il en arpentant la maison à sa recherche.

Il passa d'une pièce à l'autre, mais ne la trouva nulle part. Il commença vraiment à se demander si tout ça n'était pas que le fruit de son imagination.

Il entra dans le salon et regarda par la baie vitrée. Il y avait sa camionnette garée dans l'allée. Puis, derrière elle, une BMW scintillante. Il se demanda si c'était sa voiture. Et pourquoi il ne l'avait pas vue avant. Cette fille était pleine de surprises.

Mais rien de tout ça ne le préoccupait. Il ne se demandait même pas où il pourrait crécher. Il aimait seulement être près d'elle. Sentir son odeur. Entendre le son de sa voix. Admirer sa démarche. Et, bien sûr, la nuit qu'ils venaient de passer ensemble. C'était incroyable.

Mais, surtout, il était heureux d'avoir quelqu'un à qui parler. Quelqu'un qui l'écoute, qui est attentionné et qui semble s'intéresser vraiment à lui. Il avait le béguin pour cette fille. Il n'arrivait pas à y croire, mais c'était bien le cas. Et maintenant, après tout ça, était-elle partie ?

Il ouvrit la porte d'entrée et tomba sur elle. Elle tentait d'ouvrir la porte en même temps.

— Hé, dit Sam.

Il essayait de prendre un ton décontracté, mais il était surexcité de la voir.

Il sentit son cœur s'emballer juste de la revoir. Elle était encore plus belle ce matin qu'elle ne l'était la veille, ses longs cheveux roux se tortillant autour de son visage et ses yeux verts étincelants fixés sur lui. Et sa peau si pâle. Il était pâle lui aussi — mais elle était bien plus pâle que toutes les personnes qu'il connaissait.

— Hé, dit-elle d'un ton décontracté.

Elle semblait embarrassée, comme s'il venait de la surprendre, comme s'il venait de l'interrompre au milieu d'une besogne.

Elle passa à côté de lui et entra dans la maison.

Il se retourna et la suivit, interloqué. Il se demanda s'il avait fait quelque chose de mal. Ou s'il n'était pas assez bon pour elle. Si elle voulait qu'il s'en aille.

Tout en la suivant, il commença à se sentir timide.

Il entendit l'eau couler du robinet. Elle se tenait au-dessus de l'évier, se lavant les mains et s'aspergeant le visage d'eau. Elle venait probablement seulement de se réveiller, et était sortie peut-être pour faire une promenade matinale.

— Tu te lèves tôt, dit-il en souriant, tout en la regardant se laver encore le visage.

Elle s'arrêta, prenant son temps, puis attrapa un essuie-tout pour s'éponger le visage. Elle écarta quelques mèches de cheveux de son visage et prit une inspiration profonde.

— Oui, dit-elle en expirant, jogging matinal. Je suis une lève-tôt.

— Sans espadrilles? demanda-t-il.

Samantha baissa le regard et réalisa qu'elle était pieds nus. Elle sentit son visage rougir. Ce garçon était perspicace.

— C'est meilleur pour les pieds, dit-elle en se détournant rapidement pour passer dans une autre pièce.

Surpris par ce départ abrupt, Sam se demanda si elle n'essayait pas de l'éviter. Elle avait peut-être changé d'idée. Il avait probablement tout fichu en l'air, d'une manière ou d'une autre. Compris. Chaque fois qu'il trouvait quelque chose de bien, il gâchait toujours tout.

Sam la suivit dans le salon. Il pensait qu'il devait calmer le jeu, lui parler.

Comme il entrait, elle nouait ses longs cheveux roux dans une queue de cheval. Ses joues étaient rouges, et semblaient se colorer davantage, sous ses yeux. *Ça devait être tout un sprint,* pensa-t-il.

— Samantha, commença-t-il d'un ton hésitant, la nuit dernière a été fantastique.

Elle se tourna pour le regarder, et ses traits s'adoucirent un peu. Elle marcha lentement vers lui, posa une main sur sa joue et planta ses lèvres sur les siennes, lentement.

Il sentit son cœur se gonfler de bonheur. Elle n'en avait pas marre de lui. Il n'avait pas tout gâché. Il sentit l'optimisme le remplir de nouveau. Il avait envie d'elle.

Mais, avant qu'il ne puisse lui rendre son baiser, elle était repartie en direction du canapé et ramassait son long manteau en cuir noir.

— Je ne tiens plus en place, annonça-t-elle. Sortons d'ici.

Elle le regarda dans les yeux.

— Tu veux faire un tour de voiture? demanda-t-elle.

— Un tour de voiture? demanda-t-il en consultant sa montre. Si tôt?

— Je déteste rester assise à ne rien faire, dit-elle. J'ai envie de sortir d'ici. De prendre l'air. Partant? demanda-t-elle en plongeant ses yeux verts dans les siens.

Lorsque leurs yeux se rencontrèrent, il lui sembla avoir changé d'avis. Presque comme s'il était sous l'effet d'un charme. Son projet lui plaisait soudainement : c'était la meilleure idée au monde. Elle avait raison. Pourquoi traîner dans cette maison? C'était d'un ennui mortel. Il avait soudainement très envie de sortir lui aussi. En fait, il ne pouvait rester une seconde de plus dans cette maison.

— Ouais, s'entendit-il répondre. On va où?

— Envoie un courriel à ton père, dit-elle. Dis-lui que nous lui rendons visite.

Sam haussa les sourcils de surprise.

— Mon père? Tu veux dire, tout de suite?

— Pourquoi pas? Vous voulez vous rencontrer. Maintenant convient aussi bien que plus tard. Il vit dans le Connecticut, n'est-ce pas? Ça fera une belle promenade.

Sam essaya de se concentrer. Tout ça arrivait si vite.

— Eh bien, je ne sais pas s'il sera prêt à nous recevoir, disons, aussi rapidement.

— Sam, dit-elle d'un ton ferme. Il t'a écrit souvent. Il a envie de te voir. Envoie-lui un courriel, et demande-lui. De toute façon, allons-y. Si ça ne convient pas, nous ferons quand même une belle promenade.

Tandis qu'il y réfléchissait, il remarqua qu'il changeait encore d'idée. Il considéra qu'elle avait absolument raison. Bien sûr. Pourquoi n'y avait-il pas pensé lui-même? Une longue promenade. Le Connecticut. Envoyer un courrier électronique à son père. Oui, c'était parfait.

Il sortit son téléphone de sa poche, ouvrit une session sur Facebook et commença à taper : *Papa. Je voudrais venir te rencontrer tout de suite. Je suis sur mon départ. C'est à quelques heures de distance. Donne-moi ton adresse, s'il te plaît. J'espère que ce n'est pas trop précipité. Je t'aime, Sam.*

Sam enfonça le téléphone dans sa poche. Il saisit ses clés et se précipita par la porte avant. Elle l'attendait déjà à l'extérieur.

Comme ils traversaient la pelouse, en direction de la BMW, Sam dit :

— J'adore ta bagnole.

Elle sourit en lui montrant les clés.

— Merci, dit-elle. J'ai mis de l'argent de côté pendant un petit bout de temps.

Chapitre 16

Comme Caitlin et Caleb s'appuyaient au bastingage, regardant l'océan, le traversier faisait retentir sa sirène et appareillait pour Martha's Vineyard. Caitlin regarda l'eau qui filait en bas et ressentit un élan d'excitation. Elle aimait les bateaux. Elle se sentait heureuse et libre. En regardant les vagues se former dans leur sillage, elle songea qu'elle devrait probablement être assise en ce moment au fond d'une classe stupide, écoutant un professeur blablater. Elle se sentait comme une adulte. Indépendante. Le monde entier lui appartenait.

Elle scruta Caleb, s'attendant à le voir joyeux lui aussi, mais fut surprise de découvrir qu'il semblait plutôt nerveux. Elle ne l'avait jamais vu comme ça auparavant.

Il semblait plus pâle qu'à l'habitude. Elle se demanda s'il n'aimait pas les bateaux, ou s'il ne savait pas nager.

Elle s'approcha et posa une main sur la sienne en signe d'encouragement.

— Ça va, toi ?

Il fit un signe de la tête et déglutit. Il s'accrocha à la rampe, et regarda l'eau en bas comme si elle était son ennemie.

— Qu'est-ce qu'il y a ?

— L'eau, répondit-il simplement en agrippant plus fortement la rampe. Notre race n'aime pas l'eau. Surtout pas la traverser. La plupart n'essaieront jamais.

Caitlin se sonda intérieurement, et découvrit qu'elle se sentait parfaitement bien. Elle se demanda si c'était parce qu'elle n'était pas une vraie vampire.

— Pourquoi ? demanda-t-elle.

— L'eau joue le rôle d'un écran psychique, dit-il. Lorsqu'on traverse un cours d'eau important, on traverse un champ d'énergie. Cela affaiblit également nos sens. Il est plus difficile pour nous de déceler ce que les autres pensent, plus difficile de les influencer, plus difficile de sentir les choses. C'est comme si on repartait à zéro. On perd le pouvoir et la protection qu'on avait sur la terre ferme.

Rose s'enfonça soudainement plus profondément dans la veste de Caitlin. Elle pouvait sentir l'animal trembler, comme s'il était effrayé lui aussi. Elle glissa sa main dans la veste et flatta la tête de Rose.

Caitlin regarda autour d'elle et constata qu'il y avait peu de passagers sur le gros traversier. Il n'y avait presque personne sur le pont non plus : il était pratiquement vide. Ils étaient chanceux que le bateau navigue quand même, compte tenu de la période de l'année. L'air froid de mars, auquel se mêlaient les embruns des vagues, n'offrait pas une température très clémente.

— Tu veux aller à l'intérieur ? demanda-t-elle.

Il agrippa plus fermement la rampe, en jetant un coup d'œil à l'eau.

— Si ça ne te dérange pas, dit-il enfin.

— Pas du tout, répondit-elle. De toute façon, je suis gelée.

Ils arpentèrent les rangées de sièges vides, puis trouvèrent deux places voisines près d'une fenêtre.

Pendant que Caleb s'assoyait, Rose pointa le museau hors de la veste de Caitlin, et lança un petit gémissement.

— Je pense qu'elle a faim, dit Caitlin. Qu'est-ce que ça mange, un bébé loup?

Caleb sourit.

— Je ne sais pas. Des réglisses Twizzlers?

Caitlin lui rendit son sourire.

— Je vais aller voir au café restaurant. Tu veux quelque chose?

Caleb secoua la tête; il semblait toujours avoir un peu le mal de mer.

Caitlin se rendit au comptoir et inspecta les rangées de croustilles et de bonbons. Elle commanda un hot-dog pour Rose, une barre Snickers pour elle, puis une seconde pour Caleb, au cas où il changerait d'avis.

Juste comme elle finissait de payer, et s'apprêtait à retourner à son siège, elle s'immobilisa soudainement. Une brochure, épinglée au mur, accrocha son regard. En la lisant, elle se figea. Elle pouvait à peine croire ce qu'elle venait de lire.

Elle l'arracha du mur et se précipita dans l'allée.

Elle brandit la brochure devant Caleb.

Il la regarda, puis réagit à retardement. Il ouvrit tout grand la bouche en prenant la brochure.

C'était une publicité invitant à venir visiter Martha's Vineyard. Et elle mentionnait la Maison Vincent.

Chapitre 17

Sam était assis du côté passager dans la BMW pendant qu'ils filaient sur l'autoroute inter-États. Il n'arrivait pas y croire. C'était comme dans un rêve. Il était là, sur le siège du passager, filant sur l'autoroute, bien adossé, avec une fille canon à ses côtés. Et c'était sa voiture à *elle*, et *elle* conduisait — à transmission manuelle. Elle était déjà épatante, mais ce dernier détail la rendait super épatante. Il avait l'impression de se trouver dans un film de James Bond. Ce n'était pas le genre de choses qui lui arrivait habituellement. Les filles ne lui parlaient jamais, et les rares fois où il avait essayé de draguer, les choses ne s'étaient pas bien passées.

Et ça allait de mieux en mieux. Non seulement elle avait une maison formidable, et une bagnole d'enfer, mais elle avait tout comme lui envie de voir du pays. Leurs deux vitres étaient baissées, et ça s'annonçait pour être une belle journée de mars. Coldplay jouait à la radio. Sam leva le volume. Il se demanda si elle allait le baisser, ou changer de poste. Au lieu de cela, elle tendit la main et mit le volume encore plus fort. Il n'arrivait pas à y croire.

Sam regarda par la vitre latérale, observant défiler les arbres, et se demanda ce que ça serait de rencontrer son père. Il avait de la difficulté à croire que ça se produisait enfin. Après toutes ces années de recherches, il allait enfin le rencontrer dans quelques heures. Il pouvait à peine concevoir que, pendant toutes ces années, son père se trouvait si près. Le Connecticut. À quelques heures de voiture.

Sam se demanda à quoi il ressemblait. C'était probablement un mec cool, grand, pas rasé, avec des cheveux longs et une moto. Il avait peut-être des tatouages. Peut-être aussi des piercings. Il se demanda où il vivait, quel genre de maison c'était, quel genre de terrain. Il vivait probablement dans une maison incroyable, le genre de maison gigantesque, qui donnait possiblement sur l'eau. C'était peut-être une star du rock à la retraite.

Il s'imagina qu'ils suivraient une longue allée, bordée d'arbres, et qu'ils s'arrêteraient devant la porte. Il pouvait voir son père ouvrir la porte, se précipiter dehors, son visage s'illuminant en apercevant Sam. Il voyait son père le prendre dans ses bras et l'embrasser. S'excusant enfin.

Je suis désolé, mon fils. J'ai essayé de te retrouver durant toutes ces années. Je n'y suis jamais arrivé. Tout sera différent maintenant. Tu vas t'installer ici.

Sam sourit à cette pensée. Il débordait d'excitation. Il se demanda s'il connaîtrait un nouveau départ aujourd'hui. Oui, plus il y pensait, plus ça semblait plausible. Peut-être qu'il ne retournerait pas à Oakville. Peut-être qu'il resterait, qu'il s'installerait immédiatement. Il connaîtrait enfin un peu de stabilité. Trouverait quelqu'un qui se soucie vraiment de lui, jour après jour. Ça serait formidable. Ce serait le premier jour de sa nouvelle vie.

Il observa Samantha qui conduisait vitre baissée, ses longs cheveux roux flottant dans le vent. Elle était si géniale, si cool. Il se demanda pourquoi elle s'intéressait à lui, à son père, à leur rencontre. Il supposa qu'elle était du type aventureux, tout comme lui. Toujours partante pour essayer quelque chose de nouveau.

Il se demanda si son père serait embêté de le voir avec elle. Mais, en y pensant, il se dit que ce serait plutôt cool. Ça donnerait l'impression qu'il est vraiment extra. Le voilà qui se pointe, avec une fille canon. Son père serait impressionné. Il hocherait peut-être la tête en signe de respect.

Il se demanda où irait Samantha après tout ça, lorsqu'il aurait déménagé chez son père. Resterait-elle dans les parages? Ou repartirait-elle? Elle repartirait, c'est sûr. Elle venait d'acheter cette maison à Oakville. Il faudrait qu'elle y retourne. Qu'est-ce qui se passerait ensuite pour eux deux?

Sam se mordit la lèvre, soudainement nerveux, se demandant comment il jouerait ses cartes, ce qu'il allait faire. Si son père voulait qu'il s'installe, il le ferait. Mais, en même temps, il ne voulait pas quitter Samantha.

Il verrait bien en temps opportun. C'était de trop grosses décisions pour le moment. Il voulait profiter de la balade, apprécier le moment présent.

Il sentit la voiture gronder, et regarda Samantha passer en sixième, et vit l'aiguille de l'odomètre pointer 180 km/h. Il était aux anges. Il se demanda si elle le laisserait conduire. Il n'avait toujours pas son permis, mais il sentait qu'elle ne s'en soucierait pas vraiment.

Il rassembla tout son courage pour lui demander.

— Je peux conduire ?

Samantha lui jeta un coup d'œil, puis lui adressa un grand sourire. Ses dents étaient parfaites, étincelantes.

— Tu penses être capable de la tenir ?

Chapitre 18

Caleb et Caitlin débarquèrent du traversier au quai d'Edgartown, un petit village dans la partie sud-est de Martha's Vineyard. En longeant la passerelle, Caitlin remarqua que Caleb et Rose semblaient soulagés de retrouver la terre ferme. Rose pointa le bout de son museau à l'air libre, renifla, puis regarda tout ce qui se passait autour avec une vive curiosité.

Caitlin regarda à nouveau le dépliant. Elle n'en revenait pas de leur chance. C'était une publicité invitant à visiter le secteur historique de Martha's Vineyard. Vers la fin de la liste des sites, on pouvait lire : « La Maison Vincent. Construite en 1672. »

Sur la foi de ce document, ils avaient changé de destination, décidant de se rendre d'abord à la Maison Vincent, avant les falaises d'Aquinnah. Après tout, c'était ce qui était gravé sur la clé, et ça constituait un indice plus probant que les falaises. Ils n'auraient peut-être même pas besoin de se rendre jusqu'aux falaises. Ils avaient au moins une destination précise maintenant. Et, bien sûr, Caitlin avait toujours la clé dans sa poche, la protégeant avec un soin jaloux. Elle glissa une main dans sa poche, caressa la surface d'argent usé et se sentit rassurée.

Caitlin et Caleb parcoururent le long quai, qui était pratiquement vide. C'était comme si l'île était réservée à leur usage privé. En dépit de la saison, la température s'était réchauffée durant la traversée. Le mercure indiquait un vaillant 18 °C, plutôt inhabituel pour cette période de l'année. Caitlin sentit le besoin de se dévêtir un peu.

Elle regarda son accoutrement et fut gênée de constater qu'elle portait toujours les vêtements achetés quelques jours plus tôt à l'Armée du Salut. Elle crevait d'envie d'en changer. Mais elle n'avait pas d'argent. Et n'osait en demander à Caleb.

Elle jeta un coup d'œil à Caleb qui ajustait son collet, apparemment lui aussi un peu incommodé par la chaleur. C'était une journée comme on en voit à la fin du printemps, pas vraiment une journée du mois de mars. Le soleil était brillant, et étincelait partout, se reflétant sur l'eau et sur toutes les surfaces.

Caleb la regarda soudainement et, comme s'il pouvait lire dans ses pensées, dit :

— Pourquoi ne t'achèterais-tu pas de nouveaux vêtements ?

Avant qu'elle ne puisse répondre, il ajouta :

— Ne t'en fais pas. J'ai une carte de crédit avec un plafond illimité.

Il esquissa un sourire embarrassé.

— C'est l'un des avantages qu'il y a à vivre des milliers d'années. On amasse de la richesse.

Caitlin se demanda comment il faisait pour toujours lire dans ses pensées. D'un côté, elle adorait ça, mais de l'autre elle s'inquiétait de savoir ce qu'il pouvait lire exactement. Était-il capable de connaître ses pensées et ses sentiments les plus secrets ? Elle souhaita que ce ne soit pas le cas. Mais elle avait l'impression que, même s'il le pouvait, il était capable de contrôler la profondeur de ses incursions, et qu'il ne commettait aucune indiscrétion.

— Pour autant que ça ne pose pas de problème, dit-elle timidement. Et que tu me laisses te rembourser un jour.

Il prit sa main et la guida pour faire une promenade sur la rue principale du pittoresque village historique. En dépit du beau temps, il n'y avait pas beaucoup de monde dehors — probablement, supposa-t-elle, en raison de la saison. C'était semble-t-il un endroit touristique et saisonnier. Elle avait l'impression qu'ils avaient la ville entière pour eux seuls — et c'était l'endroit le plus magnifique où elle ait mis les pieds.

Le village était si propre, si bien entretenu. Il était rempli de petites maisons historiques, chacune plus remarquable que la précédente. Ils avaient l'impression d'avoir remonté le temps, jusqu'au début du XIXe siècle. Le village était un chef-d'œuvre paisible.

La seule chose qui ternissait l'illusion, c'était les magasins de détail modernes. Elle supposa qu'en été, ils étaient tous ouverts et bondés de gens riches, et que c'était probablement un de ces endroits qu'elle n'aurait jamais eu les moyens de visiter. Elle se réjouit de sa chance. Elle était si heureuse d'être ici maintenant, avec Caleb, par une si magnifique journée.

Elle ferma les yeux et huma l'air printanier, et elle pouvait presque s'imaginer vivre ici avec Caleb, dans le passé, dans un autre siècle. Une partie d'elle-même souhaita qu'ils arrêtent de courir, qu'ils s'installent ici, et mènent une vie normale ensemble. Mais elle savait que ce n'était pas possible.

— On va à la Maison Vincent ? demanda-t-elle.

— On ira, dit-il. Trouvons d'abord tes nouveaux vêtements.

Il entraîna Caitlin dans la boutique qui était ouverte. Lily Pulitzer.

La petite cloche ancienne sonna lorsqu'ils ouvrirent la vieille porte, et la vendeuse sembla ravie d'avoir des clients. Elle déposa son journal et se précipita vers eux, avec des mouvements pleins de grâce.

Caitlin passa Rose à Caleb pendant qu'elle furetait, et la vendeuse était enchantée

— Waouh, quel joli chien ! dit-elle en écarquillant les yeux. C'est un husky ?

Caleb sourit.

— Quelque chose comme ça, répondit-il.

Dix minutes plus tard, ils sortaient du magasin, Caitlin nouvellement vêtue de la tête aux pieds. Elle se sentait une personne neuve. Elle inspecta sa tenue et faillit éclater de rire. Ce n'était *pas* elle. Elle était passée d'un ensemble dépareillé de l'Armée du Salut à une tenue aux teintes pastel : des jeans vert lime, un t-shirt rose, un chandail en cachemire mauve pâle, et un manteau Kiera vert lime. Elle n'avait pas vraiment le choix : c'était le seul magasin ouvert, et c'est tout ce qui restait dans sa taille à cette période de l'année. Le manteau était très ajusté, et la poche intérieure à peine assez grande pour y mettre son journal, qu'elle avait transféré de l'autre veste. Pour les souliers, elle avait choisi des mocassins dorés à paillettes. Elle aurait pu figurer dans un catalogue de Lily Pulitzer.

Eh bien, si elle devait être prise dans une guerre de vampires, elle serait au moins élégante. Et probablement le seul vampire ne portant *pas* du noir.

Elle sourit en repensant à l'expression de surprise de la vendeuse lorsqu'elle lui avait demandé de jeter simplement ses vieux vêtements. Les clients ne devaient pas lui demander ça tous les jours.

Une partie d'elle-même était plutôt ravie. C'était une toute nouvelle Caitlin. Mais ce n'était sûrement pas la garde-robe qu'elle avait en vue pour cette aventure en compagnie de Caleb. Elle s'imaginait plutôt porter quelque chose de complètement noir, comme lui, peut-être quelque chose en cuir, avec un collet haut, quelque chose de gothique. Mais c'était très bien. Les vêtements étaient neufs, et elle en était très reconnaissante.

— Merci beaucoup, Caleb, dit-elle pendant qu'ils sortaient de la boutique.

Et elle le pensait vraiment. Aucun garçon ne lui avait jamais acheté de vêtements dans sa vie, et encore moins des vêtements aussi chics. Et personne n'avait été aussi bon et généreux envers elle. Elle appréciait qu'il prenne soin d'elle, plus qu'il ne le saurait probablement jamais.

Il sourit et prit sa main pendant qu'ils déambulaient dans la rue. Elle se sentait au chaud dans ses nouveaux vêtements, et avait peut-être même trop chaud, mais elle savait que c'était une journée exceptionnellement chaude. Et il valait mieux avoir trop chaud que trop froid.

Ils avaient demandé à la vendeuse si elle avait entendu parler de la Maison Vincent. Ils furent heureux d'apprendre que non seulement elle savait où elle se trouvait, mais que ce n'était qu'à quelques pâtés de maisons de là.

Ils se dirigèrent donc dans cette direction et, pour une fois, ils n'étaient pas obligés de se précipiter. Dans leur for intérieur, ils avaient le sentiment qu'une fois rendus à la maison, une fois le prochain indice découvert, les choses s'envenimeraient encore. Ils étaient tous les deux fatigués. Ni l'un ni l'autre n'était pressé de reprendre ce rythme effréné. Ni l'un ni l'autre n'avait hâte de voir ce qu'il y aurait. D'une certaine façon, oui. Mais d'une autre, ils savaient qu'une fois qu'ils l'auraient trouvé — peu importe ce que c'était, peu importe où ça se trouvait —, leur vie changerait de manière irrévocable. Et que leurs chemins se sépareraient probablement.

Caitlin posa Rose par terre et la laissa marcher à leurs côtés. Elle fut heureuse de constater qu'elle était bien dressée, se réglant sur leur pas plutôt que de vagabonder ici et là. Rose courut vers une petite parcelle de pelouse pour se soulager, puis revint à la course. Caitlin se pencha pour lui donner un autre morceau de hot-dog, que Rose mangea avec appétit.

Ils croisèrent une grande église historique, longèrent une petite clôture à piquets blanche, puis empruntèrent une allée piétonnière qui menait jusqu'à une cour immaculée. L'herbe était d'un vert vibrant, même à cette période de l'année. D'un côté se trouvait une vieille et magnifique église de chasseurs de baleines, et de l'autre, une énorme maison de chasseurs de baleines datant du milieu du XIXe siècle, avec une grande véranda à l'arrière. L'écriteau mentionnait : « La Maison Daniel Fisher. » C'était la plus belle maison qu'elle ait jamais vue. Elle s'imaginait facilement y vivre. En traversant la cour arrière, tenant la main de Caleb, avec Rose qui marchait à leurs côtés, elle se sentit presque chez elle.

Ils continuèrent de marcher sur l'allée pendant une centaine de mètres environ, et arrivèrent à une petite maison historique, à l'écart des autres. Elle lut l'écriteau : *La Maison Vincent. 1672.*

Ils examinèrent l'architecture. Elle n'avait rien d'exceptionnel. C'était une petite maison à plafond bas, typique du XVIIe siècle, avec quelques minuscules fenêtres et un toit à pente douce. Elle semblait juste assez grande pour contenir une chambre à coucher ou deux, et avait une modeste structure de bois. Pas vraiment ce à quoi s'attendait Caitlin.

Ils s'approchèrent de la porte d'entrée. Caleb prit la poignée d'une main et essaya de la tourner. Verrouillée.

— Bonjour, dit une voix, je peux vous aider ?

Ils firent volte-face pour découvrir une femme dans la soixantaine, tirée à quatre épingles et affichant un air sévère. Elle s'approcha de façon cérémonieuse, officielle.

Caleb se tourna vers Caitlin.

— C'est à ton tour, dit-il. Je veux que tu utilises le pouvoir de ton esprit. Tu peux y arriver. Les vampires peuvent contrôler les humains. Ton pouvoir n'est pas complètement développé, et ne sera peut-être pas aussi fort, mais tu possèdes un pouvoir certain. Pratique-toi sur cette femme. Influence-la. Reste calme, et fais en sorte que ses pensées deviennent tes pensées. Laisse tes pensées devenir les siennes. Suggère-lui ce qu'elle doit faire. Avec sa propre voix. Ton esprit peut le faire. Laisse-le agir.

La femme, en se rapprochant, leur adressa à nouveau la parole.

— Cette maison est fermée pour la saison, comme l'indique l'écriteau, dit-elle d'un ton digne. J'ai bien peur que vous ne deviez revenir durant la période touristique. Elle est en réparation, et il n'y aura pas de visite d'ici là.

Elle jeta un coup d'œil à Rose.

— Et nous n'acceptons *en aucun cas* les chiens.

Rose lui rendit son regard et gronda.

La femme, qui n'était plus qu'à quelque pas, les mains posées sur les hanches, avait une personnalité très sévère, comme celle d'une enseignante très rigide.

Caleb regarda en direction de Caitlin.

Caitlin regarda nerveusement la femme. Elle n'avait jamais essayé ça auparavant, et n'était pas certaine d'être en mesure d'y arriver.

O.K., pensa Caitlin, *on y va.*

Elle fixa la femme, en essayant d'atteindre ses pensées. Elle sentit beaucoup d'autorité, beaucoup de rigidité. Une personne qui n'était pas facile à contrôler. Elle sentit de la colère, de la contrariété, un attachement aux règles. Elle se laissa envahir par tout ça.

Puis, Caitlin essaya de lui transmettre une pensée. Elle essaya de la persuader que c'était bien d'enfreindre les règles une fois de temps en temps. Qu'elle pouvait même les laisser seuls. Qu'elle pouvait les laisser entrer.

Caitlin fixa la femme, en se demandant si ça fonctionnait. La femme lui décocha un regard courroucé. Ça ne semblait pas fonctionner.

— Merci de nous en informer, dit Caitlin d'un ton mielleux. Ç'a été un plaisir de vous rencontrer. Nous sommes si reconnaissants que vous enfreigniez les règlements pour nous, juste cette fois, et que vous nous laissiez visiter la maison seuls.

La femme lui rendit son regard.

— Ce n'est pas ce que j'ai dit! répliqua-t-elle sèchement.

Mais Caitlin respira profondément et, fermant les yeux, se concentra.

Elle les ouvrit et plongea son regard dans celui de la femme.

Après deux longues secondes, les yeux de la femme commencèrent à prendre une apparence vitreuse.

— Vous savez quoi…, dit-elle finalement, j'imagine qu'il n'y a pas de mal à enfreindre les règles de temps en temps. Amusez-vous bien.

Caitlin, transportée de joie, se tourna vers Caleb. Elle était surprise de son propre pouvoir, et si fière d'elle-même. Caleb sourit.

— Utilise ce pouvoir seulement en cas de besoin, la prévint-il, et seulement d'une manière qui ne blessera personne. C'est ce qui distingue les bons vampires des mauvais.

Caitlin sortit la petite clé d'argent, excitée de l'essayer enfin. Elle essaya de déverrouiller la porte d'entrée, mais en vain.

— Ça ne donne rien, dit-elle.

Caleb prit la clé et essaya à son tour.

Il fronça les sourcils de dépit.

— Tu as raison.

Il regarda autour de lui.

— Il y a peut-être une autre entrée.

Ils firent le tour de la maison et trouvèrent une nouvelle porte. Caleb essaya la clé. Sans résultat.

— Ce n'est peut-être pas pour la porte, dit Caitlin. C'est peut-être la clé d'autre chose. Quelque chose *dans* la maison.

— Eh bien, je pense que nous n'avons plus le choix, dit-il.

Il jeta des regards furtifs autour de lui, attrapa la poignée de porte et la cassa. Tant pis pour le patrimoine.

Ils entrèrent rapidement dans la maison et refermèrent la porte derrière eux.

La maison était plongée dans la pénombre, éclairée seulement par la lumière du jour qui traversait les petites fenêtres. Le plafond était bas, et Caleb devait presque se pencher en marchant. Tout était en bois : plafond en bois, poteaux en bois, poutres en bois, et plancher en grosses lattes de bois. Le centre de la pièce était occupé par un énorme foyer en brique. La maison était parfaitement conservée ; c'était comme s'ils venaient de passer en 1672.

Ils firent le tour de la maison, faisant craquer le plancher de bois, examinant chaque nœud et chaque crevasse dans le bois. Ils examinèrent également soigneusement chaque meuble. Mais Caitlin ne trouva absolument rien où puisse s'insérer la clé. En fait, elle ne trouva même aucune cachette.

Ils avaient inspecté chacun leur moitié de la maison, puis se rejoignirent au centre.

— Alors ? demanda Caleb.

Elle secoua négativement la tête.

— Et toi ?

Il secoua également la tête.

Il y eut soudainement un bruit, et ils firent volte-face.

La porte d'entrée de la maison s'ouvrit, et un grand homme noir, dans la cinquantaine, apparut dans l'embrasure. Il fit plusieurs pas dans la pièce.

Il s'arrêta devant Caleb et le scruta.

Caleb lui rendit son regard.

— Caleb? demanda finalement l'homme.

L'expression de Caleb s'adoucit.

— Roger? interrogea Caleb.

Un sourire fendit le visage de l'homme, puis celui de Caleb, et ils se donnèrent une virile accolade. Ils restèrent dans cette position pendant quelques instants.

Qui est-ce? se demanda Caitlin.

Roger éclata de rire — un rire profond, chaleureux, généreux. Il tint Caleb par les épaules et prit le temps de l'observer. Caleb était costaud mais, même à cela, Roger le dépassait facilement.

— Fils de pute, s'exclama Roger. Je ne t'ai pas vu depuis au moins... 150 ans?

— Je dirais plutôt 200, répondit Caleb.

Ils échangèrent un regard, surpris. Peu importe qui c'était, il avait occupé une place importante dans la vie de Caleb.

Caleb se tourna vers Caitlin et tendit la main.

— Excuse-moi, dit-il. Où sont mes manières? Roger, je te présente Caitlin Paine.

Roger fit une demi-révérence.

— C'est un honneur de vous rencontrer, Caitlin.

Caitlin lui rendit son sourire.

— Tout l'honneur est pour moi. Comment vous êtes-vous connus?

— Oh, dit Roger avec un sourire, ça remonte à très longtemps.

— Roger est l'un de mes plus vieux amis, dit Caleb. Il m'a sauvé la vie une fois ou deux.

— Plus souvent que ça, dit Roger en éclatant de rire.

Rose pointa sa tête hors du manteau de Caitlin, et une lueur s'alluma dans les yeux de Roger.

— Eh, salut petite puce, dit-il en s'approchant pour la flatter.

Rose lécha la paume énorme.

— Comment savais-tu qu'on était ici ? demanda Caleb.

— Caleb, je t'en prie, dit Roger, comme si la réponse était évidente. Nous sommes dans une île. Ta piste ne peut être dissimulée. Elle est visible à des kilomètres à la ronde.

— Alors, tu l'as su dès que je suis débarqué du bateau, dit Caleb en souriant. Et tu as attendu de voir où j'allais.

— Bien sûr, dit Roger. Tu aurais fait la même chose, n'est-ce pas ? Mais j'aurais parié que ce serait ici.

Caleb jeta un regard prudent sur la pièce.

— Pourquoi ?

— Il n'y a qu'une raison pour que l'un d'entre nous vienne à la Maison Vincent. L'épée, non ? C'est bien ce que vous cherchez ?

Caitlin et Caleb échangèrent un regard.

— Ça se pourrait, dit Caleb avec méfiance.

Roger sourit.

— Vous savez, dit-il, il y a une chose à savoir à propos de cette épée. C'est que seul celui qui est *destiné* à la trouver y arrivera. Je veux dire, l'*Élu*. Je sais que tu n'es pas l'Élu. Et en ce qui concerne ton amie, sauf votre respect… eh bien, je ne veux rien insinuer, mais à moins qu'elle…

Caitlin fouilla dans sa poche et en extirpa la petite clé en argent.

Roger fixa la clé pendant plusieurs secondes, sans voix.

Les bras lui en tombèrent.

— Mon Dieu, murmura-t-il.

Il regarda Caleb, pour obtenir une confirmation, et Caleb lui adressa un signe affirmatif de la tête.

Il expira.

— Eh bien, dit-il d'un ton soudainement humble, ça change tout.

Il observa Caitlin. Il secoua la tête.

— Je n'aurais jamais deviné.

— Alors… tu sais où elle est ? demanda Caleb.

Roger hocha affirmativement la tête.

— Pas ici, dit-il.

Caitlin et Caleb échangèrent un regard.

— Cette clé, dit-il, a déjà été indispensable. Mais plus maintenant. C'est un leurre. La Maison Vincent n'est plus l'endroit qui l'abrite. Maintenant, c'est seulement l'endroit où il faut aller.

Caitlin était désorientée.

— Mais…, commença-t-elle.

— La Maison Vincent a été déplacée, précisa Roger. Vous ne connaissez pas son histoire ?

Caitlin secoua la tête.

— Caleb. Tu me déçois, mon cher, le réprimanda Roger. Elle se trouvait sur un site différent. Mais il y a 200 ans, nous l'avons déménagée ici. Le Conseil s'inquiétait de la sécurité et de la conservation. Alors, ils ont sorti l'objet de la maison, et l'ont déposé dans un endroit plus stable et sécuritaire. Et ils ont désigné un gardien pour veiller sur elle. C'est-à-dire moi.

Caleb étudia son ami.

— J'ai attendu que quelqu'un arrive avec cette clé pendant presque 200 ans, dit-il en secouant de nouveau la tête. Je ne pensais jamais que ce serait toi.

— Est-ce que tu nous guideras ? demanda Caleb.

L'homme regarda longuement et sévèrement Caleb, puis Caitlin.

Il tendit en fin de compte sa large paume vers Caitlin.

— Je peux la voir ? demanda-t-il.

Caitlin jeta un regard en direction de Caleb. Il fit un signe de la tête.

Elle tendit la main et déposa la petite clé en argent dans la paume énorme.

Roger observa la clé. Il la tint devant la lumière. Il la retourna et lut l'inscription gravée. Il secoua enfin la tête.

— Sacré nom, dit-il. J'étais sûr qu'elle serait plus grosse.

Chapitre 19

Samantha, qui se trouvait maintenant dans le siège du passager, jeta un coup d'œil à Sam. Elle était impressionnée par sa conduite. Pas mal pour quelqu'un de son âge. Elle était surprise de sa maîtrise du levier de vitesse, et elle lui pardonna d'avoir fait grincer tout d'abord l'embrayage. Il était en fait très bon une fois passée la troisième vitesse. Elle aimait son agressivité au volant, particulièrement quand l'odomètre frôlait les 200 km/h. Il avait du cran, elle devait lui accorder ça.

Elle s'adossa confortablement dans son siège, se détendit et profita de la promenade. C'était beaucoup plus lent que de voler, mais pas mal pour un moyen de transport humain. Elle pensa à l'ancien propriétaire de la voiture, cet agent immobilier — son repas du matin — et sourit. Le sang de ce dernier coulait encore dans les veines de Samantha, et ça faisait du bien. Elle était repue.

Elle n'avait pas besoin de laisser le jeune conduire, mais elle pensa que, comme ses jours étaient comptés, pourquoi ne pas lui laisser en profiter, et partir en fanfare. Ce n'était plus qu'une question d'heures maintenant avant qu'elle rencontre son père, et trouve où se cachait l'épée. Ensuite, elle pourrait se débarrasser des deux.

Mais quelque chose la chicotait. Elle commençait en fait à s'attacher à Sam. Et cela l'embêtait plus que tout le reste. Elle ne se rappelait pas avoir aimé un humain depuis des siècles. Encore moins un adolescent stupide. Mais elle devait l'admettre, il avait un je-ne-sais-quoi. Un genre de parenté d'âme, quelque chose qu'elle reconnaissait. Même à son jeune âge, elle pouvait dire qu'il en avait vu de toutes les couleurs. Il possédait un genre de témérité, d'indifférence face à la vie, comme s'il savait que ses jours étaient comptés, et qu'il voulait partir en beauté. Et elle aimait ça. Ça lui rappela une aventure qu'elle avait eue une fois avec un jeune prince en Bulgarie, au XIVe siècle.

Elle n'était pas obligée de le tuer tout de suite. Elle pourrait le garder en vie un peu plus longtemps. L'emmener pendant le voyage. Elle pourrait même le garder en vie après avoir trouvé l'épée. Elle pourrait l'asservir. Il serait son jouet, et il comblerait ses moindres désirs. Elle pourrait même...

Elle rompit le fil de ses pensées, fâchée contre elle-même. Était-elle en train de ramollir?

Elle devait se concentrer sur sa mission. Le père de Sam. Ils y seraient bientôt, dans moins d'une heure. S'il faisait partie des siens, s'il était de la race des vampires, elle devrait peut-être se battre, puisqu'il détecterait sa présence immédiatement. Elle devrait rester sur ses gardes.

Elle ferait tout ce qu'il faut, y compris se battre à mort. Ce vampire était la clé pour trouver l'épée, la clé pour la victoire de son cercle. Elle irait jusqu'en enfer pour être sûre de l'obtenir.

⁺⧫⁺

Pendant que Sam conduisait, s'approchant de son but, suivant les indications du système de navigation de la voiture pour se rendre à l'adresse de son père, il était troublé. Il s'était imaginé que son père habitait un quartier chic, sur le bord d'une route agréable, dans une maison incroyable sur une propriété immense.

Mais lorsque le GPS annonça qu'ils ne se trouvaient plus qu'à deux kilomètres environ, Sam eut l'impression que quelque chose clochait. Ils traversaient une ville à la noix — même pas vraiment une ville, mais plutôt un tronçon de route de campagne plutôt moche, parsemé de petites roulottes mobiles.

Lorsque le GPS annonça le dernier virage, Sam ne put en croire ses yeux. Ils passaient sous un écriteau immense qui indiquait : « Parc de caravanes. »

C'est là que son père habitait, dans un terrain aménagé pour les caravanes.

Comme il ralentissait sur la route boueuse, dépassant les caravanes toutes plus minables les unes que les autres, Sam ressentit une douleur au creux de son estomac, la sensation familière de voir ses rêves s'envoler en fumée. Il avait été si stupide d'avoir des attentes aussi élevées. Quel idiot il avait été.

Plus ils avançaient, plus les caravanes étaient distancées les unes des autres et, quand il arriva au bout d'un cul-de-sac, il vit le numéro sur une caravane en vinyle bleu pâle. Il comprit qu'ils étaient rendus. La minuscule caravane était une épave. La porte-moustiquaire pendait sur ses charnières, le petit escalier était cassé, et la pelouse était envahie par les mauvaises herbes, qui montaient jusqu'à la hauteur des genoux. L'habitation était en retrait, et cachée des autres par un massif de buissons. C'était intime. Mais pas le genre d'intimité que Sam s'était imaginé.

Sam se sentit embarrassé. Il était très embarrassé d'avoir emmené Samantha à cet endroit, et de la présenter à son père. Il souhaita pouvoir se sauver ou simplement se rouler en boule et mourir.

Il se gara et coupa le moteur. Les deux restèrent assis, puis échangèrent un regard. Sam vérifia le système de navigation pour la dixième fois, afin de s'assurer qu'ils se trouvent à la bonne adresse. C'était bien là.

— On sort? demanda enfin Samantha.

Sam ne savait vraiment pas quoi faire. Quel genre d'homme pouvait vivre dans un endroit pareil? De quel genre de père descendait-il?

Il voulait redémarrer la voiture, appuyer à fond sur l'accélérateur et reprendre la route. Mais il en était incapable.

Sam déglutit péniblement. Il ouvrit la portière et sortit, imité par Samantha.

Les deux s'approchèrent de l'habitation. Ils gravirent deux marches, et l'escalier en bois pourri tangua. Il tira sur la porte-moustiquaire grinçante.

Sam prit une inspiration profonde, puis frappa à la porte.

Il y eut un bruit sourd à l'intérieur, puis des pas. Quelques secondes plus tard, la porte s'ouvrit.

Et là, en face de lui, se tenait son père.

Chapitre 20

Roger leur fit rebrousser chemin. Ils traversèrent en sens inverse la cour immaculée, puis croisèrent la Maison Daniel Fisher. Ils se retrouvèrent sur la rue, tournèrent rapidement et, filant comme une flèche, Roger les conduisit sur les marches puis à l'intérieur de l'immense église historique de chasseurs de baleines.

Caleb et Caitlin échangèrent un regard étonné. Ils venaient de passer devant.

La porte était verrouillée, mais Roger avait la clé. Il l'ouvrit, et la tint ouverte pour les laisser passer.

— Nous ne l'avons pas amenée très loin, dit-il en souriant et en leur adressant un clin d'œil.

Ils entrèrent, puis il ferma et verrouilla la porte derrière eux.

Caitlin fut ébahie en entrant dans l'église. Elle était impressionnante. Si lumineuse et spacieuse, si belle dans sa simplicité. Elle ne ressemblait à aucune église où Caitlin ait déjà mis les pieds. Il n'y avait aucune croix, aucun personnage religieux, aucun ornement, pas même une poutre ou une colonne — c'était juste une grande pièce ouverte, avec de vieilles fenêtres installées en rang dans chaque direction. Il y avait de nombreuses rangées de bancs d'église en bois, simples, pouvant accueillir des centaines de personnes. C'était un endroit très paisible.

— C'est la plus grande salle à plafond ouvert en Amérique, leur apprit Roger. Aucune colonne, aucune poutre. Ce sont des maîtres-constructeurs de navires qui ont bâti cet endroit. Et il est aussi solide aujourd'hui qu'à l'époque de sa construction.

— Alors, c'est ainsi que tu passes tes journées, Roger ? demanda Caleb avec un sourire. À surveiller une vieille église ?

Roger sourit.

— C'est mieux que de te tirer du pétrin, dit-il.

Puis il laissa fuser un long soupir las.

— Je suis fatigué, Caleb. Je suis sur terre depuis bien plus longtemps que toi, et j'en ai assez de tout ça. J'aime cet endroit. Il est tranquille. Je ne dérange personne, et personne ne m'importune. Je suis las de ces damnées guerres qui n'en finissent plus. Des cercles, des intrigues… J'aime faire cavalier seul. J'aime cet endroit. Et, le plus important, je suis ici pour veiller sur elle. Pour être honnête, après toutes ces années, je ne croyais plus que quelqu'un viendrait. Je commençais à croire que l'Élu n'existait pas. Mais je pense que je me trompais.

Roger regarda Caitlin.

— Et maintenant, vous me poussez vers la sortie.

Roger se tourna vers Caleb.

— Avant que je vous y conduise, il y une chose que j'aimerais te demander, dit-il en sondant Caleb du regard.

Caitlin se demanda ce que ça pouvait bien être, quel serait le prix pour atteindre un objet aussi précieux, quelque chose que cet homme avait protégé durant sa vie entière.

Caleb lui rendit son regard.

— Tout ce que tu veux, vieil ami, dit-il.

— Ça fait si longtemps que je t'ai entendu jouer, dit Roger.

Il se tourna et désigna un vieux piano à queue qui se trouvait dans un coin de la salle.

— La Pathétique. Deuxième mouvement. Comme à Vienne.

Caleb inspecta le piano. Il hésita.

— Ça fait longtemps, Roger.

Roger fit un grand sourire.

— Je suis sûr que tu n'as pas perdu le doigté.

Caitlin réalisa soudainement qu'il y avait tant de choses qu'elle ignorait sur Caleb — bien plus qu'elle ne le saurait probablement jamais. Elle se sentit si jeune comparativement à lui. Elle comprit que Caleb et Roger avaient traversé plus de choses au cours des siècles qu'elle et Caleb ne le feraient jamais. Cela l'attrista. Elle voulait tant être immortelle — une vraie vampire, à part entière, à ses côtés pour toujours.

Elle observa Caleb qui traversait lentement l'église vide, le plancher en lattes de bois craquant sous ses bottes de cuir noires. Il gravit les trois marches qui menaient à l'estrade en bois et la traversa en direction du coin. Il tira la housse qui protégeait le piano Steinway, et s'assit sur le banc.

Il souleva le couvercle du clavier et regarda dans le vide.

Il ferma les yeux et resta immobile. Caitlin se demanda à quoi il pouvait penser, quelle sorte de souvenirs lui revenait en mémoire. Puis, après un long moment de silence, elle se demanda s'il ne changeait pas d'avis, s'il refusait finalement de jouer.

Mais il tendit les mains et se mit à jouer.

Et c'était magnifique.

Les notes se répercutaient dans l'immense église vide, résonnant sur les murs, remplissant l'espace vide. Elles semblaient fuser de partout.

Caitlin n'avait jamais entendu une musique comme celle-là. Rien qui, même de loin, pouvait lui ressembler. Elle aurait souhaité fixer ce moment à jamais. Elle avait envie de pleurer.

Elle se sentit également immensément triste, parce qu'il y avait tant de choses sur Caleb qu'elle ne connaîtrait probablement jamais. Elle devrait accepter d'en apprendre autant que possible, et réussir à être heureuse pendant le court terme de son existence.

Elle était également triste parce que cela lui rappelait Jonah. Elle n'avait pas pensé à lui depuis un bon moment. Lorsqu'elle se trouvait avec Caleb, elle n'avait pas besoin de penser à lui. Mais il était toujours là, enfoui quelque part dans sa conscience. Même s'ils n'avaient passé que peu de temps ensemble, une partie d'elle-même se sentait mal d'y avoir mis fin aussi brutalement. Peu importe la signification du temps qu'ils avaient passé ensemble, ça lui laissait un goût d'inachevé. Une partie d'elle-même sentait qu'ils se reverraient un jour. Elle ne savait pas comment, mais elle savait que ça se produirait.

Ce n'était pourtant pas parce qu'elle le souhaitait. Surtout pas en ce moment. Elle restait entièrement loyale à Caleb, et souhaitait que ça ne change jamais.

La musique transporta son âme pendant tout le temps qu'elle passa à l'écouter, ce qui sembla durer une éternité. Ni elle ni Roger ne firent un geste. Ils étaient tous les deux béats d'admiration, pendant que Caleb jouait à la perfection.

Le morceau se termina. La dernière note resta suspendue dans les airs pendant plusieurs secondes. Caitlin jeta un coup d'œil en direction de Roger qui ouvrit lentement les yeux.

Caleb se leva lentement, traversa l'estrade, descendit les marches et revint vers eux. Il s'arrêta à quelques pas de Roger et lui lança un regard.

Roger prit une profonde inspiration, puis essuya une larme au coin de ses yeux.

— Tel que dans mon souvenir, dit Roger.

Il prit une profonde inspiration, leur tourna le dos et s'éloigna rapidement dans la salle.

— Suivez-moi, dit-il.

Ils suivirent Roger, en faisant craquer le plancher de bois, jusqu'à un vieil escalier de bois en colimaçon. Ils se rendirent jusqu'à la mezzanine. Caitlin jeta un coup d'œil en bas, et fut saisie par la beauté de l'église vue sous cet angle.

Ils suivirent Roger dans un couloir, passant une porte dérobée, puis empruntant un nouvel escalier de bois en colimaçon. Ils continuèrent de le suivre en montant toujours plus haut. Caitlin avait le sentiment que personne n'était venu aussi haut depuis longtemps.

L'escalier se terminait dans une petite coupole, située au faîte de l'église, et à peine assez grande pour les accueillir tous les trois.

Roger tendit la main vers une portion du mur et tira délicatement sur un loquet caché. Un compartiment secret s'ouvrit, et Roger en sortit un petit coffre orné de bijoux.

Il le tenait avec précaution dans ses mains, le regardant avec tendresse.

— Je ne l'ai jamais ouvert moi-même, dit-il. Je ne l'ai même jamais vu ouvert. Et je ne pensais jamais que ça m'arriverait. Jusqu'à ce que je voie votre clé.

Il regarda en direction de Caitlin. Il faisait très chaud, et l'air était confiné dans la petite pièce. Elle commençait à se sentir claustrophobe. Saisie de vertige. Tout semblait si irréel. Le temps semblait s'étirer à l'infini.

— Je connaissais très bien ton père, dit-il.

Les bras lui en tombèrent. Caitlin resta bouche bée. Il y avait tant de questions qu'elle aurait voulu lui poser, elle ne savait absolument pas par où commencer.

— Comment était-il? demanda-t-elle.

C'est la seule question qui lui était venue à l'esprit.

— Un grand homme. Un excellent homme. Je l'aimais beaucoup. Il était plus grand que nous tous, plus grand que les membres de notre race. Il serait fier que tu te sois rendue si loin, dit-il, tout en lui tendant le coffre qu'il tenait à deux mains.

Caitlin tendit le bras et inséra la clé d'argent, le cœur battant, priant pour qu'elle fonctionne. Elle s'inséra parfaitement.

Elle glissa en produisant une note élégante. Caitlin la tourna délicatement vers la droite, et le couvercle s'ouvrit.

Les trois se penchèrent, impatients de voir ce que le coffre contenait.

Ils furent tous les trois stupéfaits par ce qu'ils y découvrirent.

Chapitre 21

— Hé, vieux, bouge de là ! lança une voix bourrue.

Kyle sentit qu'on le poussait du pied, puis qu'on lui donnait des petits coups avec un bâton.

Il ouvrit les yeux.

Il était couché sur une surface dure et froide, mais n'avait aucune idée de l'endroit où il se trouvait. Le soleil pointait à l'horizon, et lui brûlait les yeux et la peau.

— Hé, vieux, tu m'entends ? J'ai dit dégage ! cria le policier.

Kyle ouvrit complètement les yeux et s'aperçut qu'il était couché sur du marbre. Le marbre froid des marches de City Hall. Il était dehors, au lever du jour, vautré sur le sol comme un clochard. Il leva les yeux et aperçut deux policiers en uniforme, qui le poussaient et lui donnaient des petits coups avec leurs matraques, échangeant des sourires.

Kyle essaya de se rappeler ce qui s'était passé et pourquoi il se trouvait ici. Il se souvint d'avoir comparu devant Rexius. Puis d'avoir été saisi et ligoté. Puis, l'acide. Il porta la main à son visage, le premier côté semblait normal. Puis il tâta l'autre — et la douleur refit surface. Il pouvait sentir les traits, les cicatrices horribles, le défigurement. Ils l'avaient marqué à l'acide iorique. Le châtiment réservé aux traîtres. Lui, Kyle, l'homme qui s'était montré loyal envers son cercle pendant des millénaires. Pour une seule petite erreur. C'était invraisemblable.

Kyle sentit la douleur jaillir sur le côté de son visage, et la rage monter en lui.

— On l'embarque ? demanda un flic à l'autre.

— Nan. Trop de paperasse. Épargnons-nous des tracas et occupons-nous de ça nous-mêmes.

Un des flics souleva sa matraque et se prépara à l'abattre avec force.

— Tiens-le bien, dit-il à l'autre.

L'autre flic agrippa sans ménagement Kyle par le bras et le mit sur ses pieds. En le faisant, il découvrit l'autre côté du visage de Kyle. Les flics purent voir les cicatrices affreuses et le défigurement. Ils eurent un mouvement de recul.

— Merde alors, s'écria l'un des flics. C'est quoi ce bazar ?

La rage submergea Kyle et, avant que les flics ne puissent réagir, il se mit en mouvement, agrippant chacun d'eux d'une seule main à la poitrine et les soulevant au-dessus de sa tête. C'étaient des costauds, mais Kyle était plus costaud — bien plus costaud — et beaucoup, beaucoup plus fort. Il les souleva de plus en plus haut et, avant qu'ils ne puissent réagir, il les écarta et les ramena avec force, les écrasant l'un sur l'autre.

Ils s'écoulèrent sur les marches, et Kyle s'approcha pour écrabouiller leur tête avec son pied, les tuant tous les deux.

La rage de Kyle ne cessait de croître. Son propre peuple. Ils l'avaient chassé comme un vulgaire étranger, comme s'il n'était rien, ni personne. Après tout ce qu'il avait fait pour eux. Après qu'il eut déclenché la guerre. Tout ça pour une petite erreur. À cause de cette fille stupide. Caitlin. Il lui ferait payer ça.

Mais d'abord, il rendrait à son propre peuple la monnaie de sa pièce. Personne n'avait le droit de le traiter de la sorte. Personne. Ils l'avaient peut-être banni, mais il n'était pas obligé de l'accepter. Après tout, certains vampires lui restaient loyaux. Il pourrait être lui-même le chef du cercle.

Comme il se tenait là, frémissant de rage, l'inspiration le frappa soudainement. Un plan. Une façon de prendre sa revanche. Une façon de prendre le contrôle. Une façon de devenir lui-même le chef suprême.

Il pensait à l'épée. S'il la détenait, s'il pouvait mettre la main dessus avant qu'ils ne la trouvent, il aurait le pouvoir. Pas eux. Alors, il pourrait revenir et les détruire. Du moins, ceux qui l'avaient trahi. Ceux qui s'étaient montrés loyaux, il en ferait ses soldats.

Oui, il y aurait un bain de sang comme ils n'en avaient jamais vu. Et lorsqu'il aurait fini de prendre le pouvoir, il se retournerait contre les humains et finirait la guerre lui-même. La peste aurait déjà fait ses ravages à ce moment-là, et lui, Kyle, commanderait. Avec cette épée, il pourrait régner sur New York. Puis tous les conseils, et tous les cercles du monde devraient lui obéir.

Oui, il aimait ce plan. Mais s'il voulait trouver l'épée, il devrait mettre d'abord la main sur la fille. Caitlin. Et pour la trouver, il avait besoin d'aide. Ce garçon russe. Le chanteur. Celui qu'elle avait transformé. Celui qui portait toujours la marque de Caitlin dans ses veines.

Oui. Le plan s'élaborait dans sa tête.

Kyle fit volte-face et grimpa à la course les marches de City Hall, arrachant les verrous d'acier en frappant la porte d'une seule main. À cette heure matinale, le hall d'entrée était vide, et il courut dans le couloir. Il se rendit jusqu'à l'autre bout, tira un loquet caché, et un mur s'ouvrit. Il se précipita dans l'escalier de pierre, et s'enfonça dans la noirceur.

Kyle courut à toute vitesse, sachant qu'il pourrait devoir affronter seul une armée entière, mais sachant aussi que personne ne s'attendait à ce qu'il attaque seul. Il savait aussi que toute leur attention se portait sur la guerre et que, s'il se dépêchait, il pourrait avoir suffisamment de temps pour obtenir ce qu'il voulait. Surtout à l'aube, lorsque plusieurs d'entre eux se préparaient à dormir.

Kyle atteignit les niveaux inférieurs, et courut de toutes ses forces dans le couloir, jusqu'à ce qu'il trouve l'énorme porte qu'il cherchait. Comme il s'en était douté, il n'y avait qu'un seul garde à l'extérieur — un jeune vampire, qui n'avait que quelques centaines d'années, et qui était donc plus faible que lui. Avant qu'il ne puisse faire un geste, Kyle l'avait déjà frappé avec puissance à la mâchoire, le mettant K.-O.

Kyle enfonça la porte avec son épaule. Il traversa la pièce et le trouva enfin, le garçon russe. Enchaîné au mur, les bras écartés, bâillonné, les yeux révulsés de terreur. Ils l'avaient gardé là pendant des jours et, en ce moment, le garçon devait être tout à fait maté. Kyle courut jusqu'à lui et, sans perdre de temps, libéra ses pieds et ses mains. Le garçon se leva et arracha le ruban adhésif qui lui couvrait la bouche. Il commença à hurler.

— Qui êtes-vous ? Pourquoi suis-je ici ? Pourquoi m'avez-vous enlevé ? Pourquoi…

Kyle le frappa du revers de la main, juste assez fort pour l'assommer. Puis il le jeta sur son épaule et le traîna hors de la pièce, faisant grincer les chaînes sur le sol.

Il courut avec lui dans le couloir vide, puis grimpa l'escalier et, dans le temps de le dire, il passait la porte, traversait City Hall et jaillissait à l'air libre. Il courut de toutes ses forces et fut heureux de constater que personne ne le suivait.

Il se détendit pendant qu'il courait. Il avait ce dont il avait besoin. Ce garçon, avec le sang de Caitlin qui courait encore dans ses veines. Il pourrait le conduire à elle. Et où se trouvait la fille, l'épée ne serait pas loin.

Il sourit. Ce n'était plus qu'une question de temps. Bientôt, il aurait cette épée entre les mains.

Chapitre 22

Caitlin et Caleb survolèrent des kilomètres de forêt sombre en traversant Martha's Vineyard, volant dans le soleil de fin d'après-midi. Elle s'émerveilla de la grandeur de l'île. Elle s'était imaginée que c'était une petite place mais, en regardant en bas, elle découvrit qu'elle était imposante. Ils se dirigeaient vers les falaises d'Aquinnah. Ces dernières se trouvaient au bout de l'île, complètement de l'autre côté. Même en volant à la vitesse de Caleb, ça leur prendrait un moment.

Caleb n'aimait pas voler lorsqu'il y avait du monde dans les environs, parce qu'il ne voulait pas attirer inutilement l'attention sur lui ou sur la race. Mais l'île était si déserte, à cette période de l'année, qu'il n'avait aucun scrupule à traverser l'île en volant, surtout s'ils survolaient une zone forestière.

L'esprit de Caitlin tournoyait tandis qu'elle repensait à l'église de chasseurs de baleines, et au dernier indice qu'ils avaient trouvé. Ce n'était pas du tout ce à quoi elle s'attendait. Elle avait supposé que ce pourrait être une autre clé. Au lieu de cela, ils avaient découvert un rouleau — un parchemin jauni, sec et cassant, déchiré en deux, en plein centre. Il était évident, au premier coup d'œil, que l'autre moitié manquait et que, sans elle, la première moitié serait inutile. La moitié d'une énigme. Compte tenu de son état, il était stupéfiant que le rouleau ait survécu, et elle était certaine qu'il ne se serait pas conservé s'il n'avait été gardé dans un contenant métallique étroit, et hermétique — elle sentait en ce moment la bosse qu'il faisait dans sa poche.

Les trois avaient scruté le message énigmatique sur la moitié du rouleau, sachant bien qu'il ne livrerait pas son sens. Il y avait des mots et des phrases qui étaient coupés en deux. Des fragments. Les morceaux d'un puzzle. Cela donnait :

Les quatre Cavaliers...
Ils quittent...
Entrent dans un cercle...
Se rencontrent...
Et trouvent...
À côté de la quatrième...

Ils avaient essayé tant bien que mal de compléter les phrases. Mais peu importe leurs efforts, ils ne pouvaient déchiffrer le message sans l'autre moitié.

Ils se sentirent découragés, et Roger se confondit en excuses. Et il n'y avait aucune piste, aucun indice pouvant mener à l'autre moitié du rouleau.

Alors, Caitlin et Caleb décidèrent de suivre la seule autre piste qu'ils avaient : les falaises d'Aquinnah. Son rêve.

Caitlin s'efforça de se rappeler son rêve, mais il semblait si lointain déjà, embrouillé, comme si elle l'avait rêvé des mois auparavant. Elle commença même à se demander si elle l'avait vraiment fait. Elle ne voulait pas décevoir Caleb, ni l'entraîner plus loin dans cette quête vaine.

Ils firent un virage, et les arbres s'espacèrent, le paysage dévoilant de belles herbes longues, agitées par le vent. Les herbes semblaient s'embraser sous le soleil de fin d'après-midi, et prenaient une douce teinte rouge. C'était magnifique. Sous elle, elle aperçut une ferme, puis des moutons et des vaches éparpillés dans le paysage rural.

Caitlin put bientôt humer l'air salin et, tandis qu'ils prenaient un nouveau virage, le paysage dévoila de l'herbe des dunes, puis du sable.

Ils aperçurent enfin les falaises.

Elles étaient époustouflantes. Elles avaient plusieurs dizaines de mètres de haut, leur sable luisant d'une couleur rouge mystique. Surtout sous le soleil de fin d'après-midi, on aurait dit que les falaises géantes étaient en vie, qu'elles se consumaient.

À leur base, se trouvait une plage agréable et sablonneuse, jonchée de rochers de toutes les formes et de toutes les tailles. Entre eux, on voyait de gros galets déposés au hasard sur la plage, jaillissant des vagues qui s'écrasaient sur la rive. Le paysage semblait préhistorique. La plage entière semblait surnaturelle, comme si elle était un décor de la planète Mars. Elle avait peine à croire qu'un tel endroit puisse exister.

Rose avait probablement senti quelque chose, parce qu'elle sortit la tête de sous la veste de Caitlin, pointant son museau pour renifler l'air salin, puis regardant le paysage.

Comme ils contournaient les falaises, ralentissant pour atterrir, quelque chose y sembla absolument familier à Caitlin. Elle avait vraiment le sentiment d'être déjà venue ici. Oui, c'était bien l'endroit. Plus important, elle semblait se souvenir d'y être venue à un moment donné avec son père.

Elle ne savait pas s'ils allaient y trouver quelque chose, mais elle avait le sentiment que c'était exactement l'endroit où ils étaient destinés à aller.

La plage était vide, leur appartenait. Ils se posèrent doucement, Caleb atterrissant habilement sur le sable, puis posant Caitlin et Rose. Rose courut sur le sable, puis bondit dans l'eau. Elle courut se réfugier sur la rive quand elle fut éclaboussée par l'eau projetée par une vague.

Caitlin et Caleb échangèrent un sourire.

Ils marchèrent lentement sur la plage, contemplant le décor qui les entourait. Ils marchaient en silence, et Caleb prit la main de Caitlin dans la sienne.

La plage était envahie par le bruit des vagues qui se brisent et l'odeur de l'air marin. Caitlin ferma les yeux et respira profondément. C'était si rafraîchissant.

Caleb inspecta du regard les falaises, la plage, les rochers. Imité par Caitlin.

— C'est bien l'endroit, dit-elle. Je sens que je suis venue ici avec lui.

Caleb approuva en hochant la tête.

— Ce serait logique. C'est un endroit très puissant pour notre race.

Caitlin le regarda d'un air surpris.

— Es-tu déjà venu ici ? demanda-t-elle.

— Plusieurs fois, répondit-il. Les falaises d'Aquinnah sont l'un de nos sites sacrés, l'un des plus anciens champs d'énergie de la terre. L'argile rouge et le sable emmagasinent et libèrent une énergie ancienne, qui nous rétablit. Les humains, bien sûr, ne s'en doutent pas. Ils n'ont jamais vraiment compris la signification de cet endroit. Mais nous le connaissons depuis des milliers d'années. C'est un endroit puissant. Un endroit mystique. Qui a été créé par les Anciens. Ce serait logique que ton père t'ait conduite ici. C'est un rite de passage pour tous les vampires. Un endroit où nous amenons nos jeunes, ou ceux qui ont été transformés. Mais surtout, c'est un lieu consacré à l'amour.

— À l'amour ? demanda-t-elle.

— Les mariages entre vampires sont très rares, poursuivit-il, parce que nous ne pouvons procréer, et parce qu'un engagement éternel n'est pas quelque chose que nous prenons à la légère. Mais lorsque deux vampires se marient, les cérémonies sont très élaborées et sacrées. Elles peuvent durer des jours. Et presque toujours, ces unions sont consacrées ici.

Caitlin regarda l'endroit avec respect.

— Si nous étions venus la nuit, dit-il, surtout une nuit de pleine lune, on serait probablement tombé sur une cérémonie de mariage entre vampires. C'est un site d'alliance, et ces rochers symbolisent l'éternité. Ils figurent parmi les éléments les plus anciens de la planète. On croit que leur énergie cimente l'union d'un lien qui ne pourra jamais être détruit.

En entendant ces mots, Caitlin sentit son cœur se gonfler. Même s'ils n'étaient ensemble que depuis une courte période, elle avait déjà l'impression de le connaître depuis toujours. Et pendant qu'il parlait de la cérémonie, du mariage, elle comprit qu'il n'y avait rien au monde qu'elle souhaitait autant que d'avoir l'assurance de passer le reste de sa vie avec lui. Cela la déprimait de savoir que son existence se terminerait avant la sienne, qu'ils étaient de deux races différentes, que leur amour était interdit. Qu'elle ne serait qu'un souvenir de plus pour lui.

Elle aurait aimé lui parler de tout ça, mais elle ne savait par où commencer, ni quoi dire, ni comment s'exprimer. Et elle ne savait pas s'il ressentait la même chose pour elle. Alors, elle se contenta de marcher, en silence.

Tout était si parfait, de la façon dont les choses se déroulaient maintenant. Pourquoi ne pouvait-il en rester ainsi? Elle adorait cette île, cette plage. Elle se voyait très bien vivre ici, s'y installer avec Caleb. Elle pouvait s'imaginer bâtir sa vie avec lui, à l'écart du reste du monde, dans une atmosphère de paix. Ils pourraient construire une petite maison, en haut sur les falaises, avec une vue sur l'océan. Ils pourraient faire table rase du passé, partir à neuf. Serait-ce seulement possible?

Depuis les dernières semaines, Caitlin sentait qu'elle avait tellement perdu le contrôle de sa vie. Les événements se bousculaient autour d'elle et l'entraînaient inexorablement dans leur mouvement. Maintenant, tout avait ralenti un peu, et il semblait que la piste qu'ils suivaient les ait menés à une impasse. Elle se demanda si elle ne pourrait pas abandonner sa quête. Elle se demanda si les choses ne pourraient pas retrouver une certaine apparence de normalité.

Mais, au plus profond d'elle-même, elle savait que c'était impossible. Elle savait que, peu importe ce qu'ils feraient, ils s'élanceraient tous deux vers leur destinée. Et que très bientôt tout changerait à jamais entre eux. Cela la déprimait.

Elle évoqua mentalement l'image de Caleb penché sur le piano, se rappelant combien la musique qu'il jouait était magnifique. Les notes résonnaient encore à ses oreilles.

— J'ignorais que tu savais jouer du piano, dit-elle d'une voix douce.

Il soupira.

— Cela fait des années. Je ne crois pas avoir rendu justice à la pièce. Tu aurais dû entendre Ludwig la jouer.

Elle lui jeta un regard stupéfait.

— Tu veux dire Ludwig... comme dans Beethoven? demanda-t-elle, abasourdie.

Il fit un signe affirmatif de la tête.

— Tu as entendu Beethoven jouer ça? En personne?

— Oui, répondit-il. Vers la fin de sa vie.

Elle était sidérée. Elle était renversée en pensant à tout ce qu'il avait pu voir.

— Alors... tu l'as connu? demanda-t-elle.

— Oui, dit Caleb. C'était un ami intime. Il était l'un des nôtres.

— Un *vampire*? demanda Caitlin, bouleversée.

Caleb se contenta de hocher la tête.

Caitlin voulait en savoir plus — elle voulait tout savoir —, mais elle pouvait constater que Caleb n'avait pas envie d'en parler. Peu importe ce qui s'était passé, cela semblait être un souvenir douloureux pour lui.

— Ça doit être incroyable d'avoir rencontré des gens comme ça. De se souvenir de choses comme ça, dit-elle.

— Parfois, dit-il. Mais le plus souvent, c'est un fardeau.

— Pourquoi?

— Avec le temps, les souvenirs nous pèsent. On devient tellement perdu dans ses souvenirs, qu'on a de la difficulté à vivre dans le présent. C'est comme une maison remplie de vieux objets. Au bout d'un certain temps, il n'y a plus de place pour faire entrer quelque chose de neuf.

Ils marchèrent en silence pendant plusieurs minutes. Le soleil commençait à se coucher, et répandait une douce lueur sur toute chose. Les vagues se brisaient sur le rivage, et Rose jappa en courant à leurs pieds, tandis que des mouettes faisaient entendre leurs cris stridents au-dessus d'eux.

Caitlin inspecta les environs, se demanda s'il y avait un indice, une piste laissée par son père, n'importe quoi dont elle puisse se rappeler. Mais elle ne trouvait rien.

Elle entendit un bruit sourd, puis sentit une brise, et soudainement deux chevaux blancs les dépassèrent en galopant. Elle se retourna, pour voir d'où ils pouvaient provenir, mais il n'y avait rien en vue. Des chevaux sauvages. Ils galopaient dans leur sillage, sur la plage, courant dans l'eau peu profonde.

Caleb et Caitlin échangèrent un regard. C'était incroyable. Elle n'avait jamais rien vu de semblable.

— Des chevaux sauvages, dit-il. Et blancs. Un excellent signe. On essaie de les attraper ? dit-il en s'élançant dans un sprint.

Caitlin pensa tout d'abord qu'il était fou : comment pourraient-ils rattraper un cheval ? Mais elle se souvint de sa nouvelle vitesse, et se mit à courir.

Caitlin avait l'impression que ses jambes couraient pour elle. Très rapidement, elle atteignit une vitesse qu'elle n'aurait jamais crue possible. Elle rejoignit Caleb, et tous deux accélérèrent la cadence jusqu'à ce qu'ils courent à la hauteur des chevaux. Rose courait derrière eux.

Caleb fit un grand sourire.

— Faisons un tour ! cria-t-il.

Il sauta sur le dos d'un cheval, et Caitlin l'imita, courant de toutes ses forces puis sautant sur le dos de l'autre.

Elle n'arrivait pas à y croire, elle chevauchait maintenant aux côtés de Caleb. Il riait aux éclats, ses cheveux flottant sauvagement dans le vent. Ils faisaient la course sur la plage, côte à côte, s'enfonçant dans le soleil couchant. Elle n'arrivait pas à croire qu'elle était capable de monter à cheval, de se tenir. C'était irréel.

Les chevaux les transportèrent pendant des kilomètres sur la plage. Ils avaient une vue panoramique sur les falaises, les rochers, le sable. Caitlin était surprise de constater l'étendue de la plage. Elle semblait s'étirer à l'infini.

Et, soudainement, sans aucun avertissement, les chevaux s'arrêtèrent de façon abrupte.

Caleb et Caitlin eurent beau les inciter à avancer, ils refusèrent de bouger.

Caitlin et Caleb, perplexes, échangèrent un regard.

— Je pense qu'ils veulent qu'on descende ici ! cria Caleb en riant.

Caitlin regarda en bas et vit que les chevaux se tenaient dans l'océan, l'eau à la hauteur des genoux.

Caleb fit un grand sourire.

— Je pense qu'on va devoir prendre un petit bain !

Il sauta et atterrit dans l'eau.

Caitlin enleva ses souliers, les tenant d'une main, puis l'imita.

L'eau était glaciale sur ses pieds nus, mais elle n'en reçut sur les jambes que lorsque la vague reflua. Elle trouva alors que l'eau était rafraîchissante sur ses pieds, tout comme le sable doux.

Elle leva les yeux et vit que les chevaux galopaient au loin sur la plage vide, en direction du soleil couchant.

Rose sautillait sur le sable, testant les vagues, puis revenait à la course sur le sable en jappant.

Caleb s'approcha puis souleva galamment Caitlin, la gardant au sec tandis qu'une vague déferlait. Il était si fort, la vague s'écrasa sur ses jambes sans même le faire broncher. Il était solide comme un roc. Il l'approcha de lui, l'enlaçant, la gardant au sec, riant et souriant tout en la faisant tournoyer.

Elle sentit son cœur se gonfler de bonheur.

Comme il la déposait, la tenant serrée contre lui, elle plongea son regard dans le sien. Il fit de même. Leurs regards se rivèrent l'un sur l'autre. Tranquillement, le sourire de Caleb disparut. Son expression devint plus sérieuse. Elle changea complètement.

Elle vit la couleur de ses yeux changer, passant du brun au vert de mer. Il la regarda longuement dans les yeux, et ils sentirent la même chose au même moment.

Le cœur de Caitlin battait la chamade tandis qu'il se penchait pour l'embrasser.

C'était un baiser aussi éclatant que mille soleils. Son corps fut parcouru par une sensation de chaleur et des picotements comme elle n'en avait jamais connus. Elle lui rendit son baiser, avec plus de passion encore. Il la souleva bientôt pour la sortir de l'eau et la conduire sur le rivage.

Il la déposa sur le sable sec, s'étendant près d'elle sur la plage déserte. Ils étaient seuls, comme si le monde entier leur appartenait. Leurs baisers devinrent plus enflammés, et elle passa sa main dans les cheveux de Caleb.

Elle avait attendu ce moment depuis le jour de leur rencontre.

Elle n'avait jamais aimé aucune autre personne à ce point.

Chapitre 23

Comme Sam se tenait là, devant son père, il eut un ser-
rement au cœur. Il ne pouvait y croire. Même s'il avait
été déçu par le parc de caravanes, par la caravane, par
le décor minable, rien ne l'avait préparé à la déception
qu'il eut en voyant son père. Tous ses rêves venaient de
s'écrouler en même temps.

Son père était un homme petit, maigre et frêle,
peut-être dans la cinquantaine, qui creusait et avait de
longs cheveux minces qui tombaient d'un côté de sa
tête. Il portait une barbe de plusieurs jours, et semblait
avoir dormi dans ses vêtements. Sa peau était couverte
de verrues, et il avait des cicatrices d'acné. Il avait de
petits yeux noirs, fouineurs, qui regardaient de droite
à gauche. Il examinait Sam, son apparence évoquant
celle d'un rat. En fait, toute son aura inspirait quelque
chose de sordide. Et il empestait. Il ne s'était probablement pas lavé depuis des jours.

Il ne ressemblait en rien à Sam. Et il ne ressemblait
en rien au père que Sam s'était imaginé.

Sam n'arrivait pas à concevoir qu'il ait pu provenir
d'un tel type d'être humain. Il se sentit plus mal que
jamais dans sa peau.

Ils s'étaient peut-être trompés d'adresse. Il pria
pour que ce soit le cas.

Je vous en prie, Seigneur, faites que ce ne soit pas lui.

— Sam ? demanda soudainement l'homme.

Cette question confirmait qu'il était vraiment à la bonne adresse. Le cœur de Sam se serra encore. C'était lui.

Sam essaya de trouver ses mots.

— Hum, êtes-vous bien…

— Ton père, dit l'homme en esquissant un sourire, révélant une rangée de petites dents orange. Oui, c'est moi.

Le regard de l'homme passa de Sam à Samantha, qu'il inspecta de haut en bas, en se léchant les babines.

— Je pensais que tu viendrais seul ? demanda-t-il à Sam en continuant de dévisager Samantha.

— Je…, commença Sam, eh bien, je, heu…

— C'est qui elle ? demanda-t-il en la fixant.

— C'est Samantha, dit enfin Sam. C'est ma…

Sam hésita, ne sachant pas trop comment la désigner.

— Petite amie, compléta aimablement Samantha.

Sam était reconnaissant qu'elle ait dit cela. Et il aimait le son de cette expression, surtout venant d'elle.

— Bien, très bien…, dit l'homme d'un ton hésitant.

Il se retourna et entra.

Sam et Samantha échangèrent un regard, déconcertés par cet accueil bizarre. Aucun des deux ne savait comment réagir. Était-ce une invitation à entrer ?

Sam s'avança timidement à l'intérieur, suivi de près par Samantha.

Avant de fermer la porte, elle regarda de tous les côtés attentivement, puis elle la tira fermement et la verrouilla.

Samantha inspecta du regard la petite caravane sombre. Les rideaux étaient tous tirés, et la pièce n'était éclairée que par une petite lampe dans un coin. C'était une belle journée ensoleillée, mais on n'aurait jamais pu le deviner à partir de cette pièce. C'était une demeure sinistre, tout en désordre.

Dès qu'elle avait rencontré cet homme, Samantha avait senti qu'il n'était pas un des leurs, pas un vampire. Elle l'aurait su. Cela lui apprenait que le père de Sam n'était pas le vampire — c'était plutôt sa *mère*. Ils avaient cherché du côté de la mauvaise lignée. Ils perdaient leur temps avec cet homme — à moins qu'ils ne puissent les conduire à la vraie mère de Sam.

Elle pouvait lire la déception sincère sur le visage de Sam, et se sentit désolée pour lui. Elle ne pouvait se rappeler la dernière fois qu'elle s'était réellement sentie désolée pour un humain, et elle se réprimanda. Ce garçon la prenait vraiment au dépourvu.

— Alors..., commença l'homme, visiblement inapte socialement.

Il se déplaçait dans sa demeure, les regardant à peine.

— Vous buvez quoi ? demanda-t-il finalement. Une bière ?

Sam marqua une pause.

— Heu… ce que vous avez, dit-il.

L'homme se rendit dans sa minuscule cuisine, et revint rapidement avec deux canettes de Schlitz chaude. Il les posa sur la table à café. Ni Sam ni Samantha n'y touchèrent.

Elle pouvait voir que Sam ne tenait pas en place, et qu'il ne savait pas quoi dire. Pas plus que son père.

Un silence gêné emplit la pièce. Il y avait quelque chose de très bizarre. Son père ne semblait pas si heureux de les voir. Ou il était simplement maladroit socialement.

Samantha inspecta l'intérieur, du regard. Tout était en désordre, et mal entretenu. Des canettes de soda vides jonchaient le sol, côtoyant des piles de journaux et de magazines. Il y avait un petit bureau dans le coin au fond, et elle nota que son portable était allumé.

Samantha sentit quelque chose, et elle utilisa sa vision vampirique pour grossir les détails de l'écran à l'autre bout de la pièce. Elle put voir qu'il était connecté à Facebook. Et sous un nom différent.

— Alors, avez-vous dit à quelqu'un que vous veniez me rendre visite? demanda au bout d'un moment son père.

Sam le regarda, interloqué.

— Heu, comme…

— Comme par exemple, as-tu dit à ta mère que tu venais me voir?

— Non, répondit Sam. Ça fait un bout de temps que je ne lui ai pas parlé. On est parti sur l'inspiration du moment. Je pensais simplement que ce serait bien de se voir.

L'homme approuva de la tête. Il sembla se détendre un peu.

— Eh bien, ouais, dit l'homme.

Il fouilla dans sa poche et en ressortit un paquet de cigarettes froissé, et s'en alluma une. Il tira une bouffée, puis remplit la petite pièce de fumée.

— Alors, qu'est-ce que vous faites ensemble ?

Sam et Samantha échangèrent un regard, ne sachant trop ce qu'il voulait dire.

— Hum, alors... qu'est-ce que tu veux dire ? demanda Sam.

Samantha reporta son attention sur le portable, et grossit à nouveau la page Facebook. Quelque chose l'ennuyait. Elle regarda attentivement la page entière et put voir qu'il y avait plusieurs onglets ouverts. Tous sur Facebook. Tous sous des noms différents.

Son père dut s'apercevoir qu'elle scrutait dans cette direction, parce qu'il se leva soudainement et abaissa l'écran de l'ordinateur. Il revint vers eux.

— Je veux dire : est-ce que vous faites l'amour ensemble ? demanda-t-il.

Samantha le vit ramasser soudainement quelque chose sur la table.

Elle se retourna et put lire l'embarras sur le visage de Sam, et put voir la colère l'envelopper graduellement.

C'est à ce moment qu'elle comprit. Cet homme n'était pas son père. C'était un imposteur. Un cyberprédateur. Un pédophile. Qui attirait sous un faux prétexte les gens sur Facebook. Essayant de tromper plusieurs jeunes. Attendant que quelqu'un comme Sam se présente, quelqu'un de désespéré, juste assez impatient pour croire qu'il pourrait être son père.

L'homme était vif comme un serpent. Avant que Samantha ne puisse bouger, il avait attrapé un grand couteau de cuisine en fonçant dans la pièce, enserrant la tête et le cou de Sam par derrière. Il coinça son couteau sous la gorge de Sam, le poussant presque assez fort pour entailler la chair.

Les yeux de Sam s'emplirent d'eau sous l'effet de la surprise et de la douleur.

— Un seul geste, et il meurt, dit l'homme d'une voix féroce à Samantha.

C'était une situation intéressante pour Samantha. Étant donné que cet homme n'était pas le père de Sam, elle n'avait plus rien à faire ici, elle perdait donc son temps. Elle pourrait simplement sortir et laisser Sam mourir. Ça ne ferait aucune différence. Il était la seule piste qu'ils avaient, et maintenant Sam était devenu inutile.

Mais il y avait quelque chose qui la faisait hésiter. Une petite étincelle de sentiment qu'elle commençait à ressentir pour le jeune. Elle n'arrivait pas à y croire, mais une partie d'elle-même commençait à s'attacher à lui. Et s'il y avait quelque chose qu'elle détestait plus que les humains, c'étaient les vermines humaines comme ce type. Non, elle ne pouvait se contenter de sortir.

— Mets-toi à genoux et enlève ton gilet, ordonna l'homme à Samantha d'une voix noire et rocailleuse, tout en tenant le couteau sur la gorge de Sam.

Sam essaya de se tortiller, mais l'homme affermit sa poigne, commençant à faire couler du sang.

Samantha pouvait tuer l'homme n'importe quand, mais il tenait si fermement le couteau, qu'elle ne voulait pas le voir tuer Sam. Elle ne pouvait commettre de gestes imprudents.

Samantha se mit à genoux, leva les bras et retira lentement son gilet, découvrant son soutien-gorge.

Elle put voir les yeux du répugnant personnage se mettre à scintiller, et un sourire dégoûtant découper son visage d'une oreille à l'autre.

Il pointa le couteau vers elle.

— Ton soutien-gorge, ordonna-t-il.

Sam dut comprendre qu'il avait une chance, parce qu'il bougea avec une rapidité surprenante pour un humain. Il agrippa le poignet de l'homme, essayant de toutes ses forces de lui faire lâcher l'arme.

Mais l'homme abject était fort. Des années de prédation l'avaient probablement doté d'une grande vigueur nerveuse qui le préparait à des situations comme celle-là. Tandis que Sam luttait, le type réussit à se déprendre et lacéra la joue de Sam, faisant jaillir le sang.

Sam hurla de douleur en portant les mains sur sa joue. Il y avait du sang partout.

Le type brandit son couteau, et Samantha comprit qu'il allait le plonger dans la poitrine de Sam.

Elle passa à l'action. Elle bondit à travers la pièce, saisissant l'arme à mi-chemin dans les airs et tirant brusquement le bras de la crapule vers l'arrière, avec assez de force pour l'arracher de son attache.

Le type poussa un cri strident et laissa tomber l'arme.

Samantha, qui n'en avait pas fini avec lui, agrippa le cou de l'homme et, utilisant sa force surhumaine, le fit pivoter d'un mouvement sec, lui brisant la nuque et le tuant net.

L'homme s'affala sur le sol, sans vie.

Samantha, encore possédée par la rage, regarda autour d'elle et vit Sam qui écarquillait les yeux, complètement secoué. Il était saisi de surprise, et semblait avoir oublié sa douleur. Elle était sûre qu'il n'avait rien vu de semblable de toute sa vie. Et qu'il ne verrait probablement jamais rien d'autre comme ça.

Il avait essayé, il avait vraiment essayé de sauver Samantha. Même avec le couteau sur sa gorge. Personne n'avait fait un tel geste pour elle au cours des siècles.

Elle pourrait le garder en vie, après tout.

Chapitre 24

Lorsque Caitlin et Caleb s'éveillèrent, c'était la nuit. Ils étaient étendus tous les deux sur la plage, dans la nuit tiède, sous l'éclairage de l'énorme pleine lune.

Ils étaient encore seuls sur la plage, entourés par la musique des vagues qui se brisent. Ils étaient étendus, éveillés, dévêtus, dans les bras l'un de l'autre, utilisant leurs manteaux comme couverture de fortune. Rose était étendue près d'eux.

Ils avaient changé tous les deux.

Leurs regards étaient rivés l'un sur l'autre. Ils roulèrent et s'embrassèrent encore une fois, en prenant leur temps.

Leur relation avait changé à jamais. Caitlin avait changé à jamais. Et rien ne la rendait plus heureuse.

Ils n'étaient plus deux personnes réunies au hasard, des amis, liés par une mission commune. Ils étaient maintenant des amants. Un couple. *Ensemble*.

Caitlin espérait seulement que ça dure à jamais.

Il y avait tant de questions qui lui brûlaient les lèvres. Comme *et maintenant* ? Il avait franchi une limite, un interdit pour sa race. Qu'arriverait-il s'ils le trouvaient ? Est-ce qu'ils le tueraient ? Avait-il risqué tout ça pour elle ? En valait-elle vraiment la peine ?

Et maintenant qu'il l'avait fait, allait-il la quitter ? Y avait-il moyen pour eux de rester ensemble, de tout faire durer ?

À quoi ressemblerait leur futur ?

Elle était submergée par l'émotion, bouleversée par le sacrifice qu'il avait fait pour elle.

— J'ai peur, dit-elle d'une voix douce.

— De quoi ? demanda-t-il.

— De nous, dit-elle. De mourir. Tu vivras éternellement. Mais, moi...

Elle avait de la difficulté à exprimer ses pensées.

— Je ne vivrai pas toujours. Je veux être avec toi. Je veux être comme toi. Je veux être immortelle, dit-elle.

La mine de Caleb s'assombrit. Il tendit la main vers ses vêtements, puis s'habilla. Il se leva.

Il observa l'océan.

Elle s'habilla aussi, heureuse que son manteau soit chaud, et palpant la poche pour vérifier si son journal et le rouleau s'y trouvaient toujours. Elle vint se tenir à ses côtés.

— Je veux aussi être avec toi, dit-il. Mais, crois-moi, tu ne souhaites pas être immortelle. C'est une malédiction. Il vaut beaucoup mieux mourir. Repartir à neuf, purifié, rafraîchi, dans une autre existence, à un autre endroit, à une autre époque, dans un autre corps. Ne garder souvenir de rien. Laisser les cycles de la vie suivre leur cours. Notre race... nous sommes contre nature.

Il se tourna pour la regarder.

— Je ne souhaite rien de plus que de te garder à mes côtés. Mais être avec moi pour toujours ne vaut pas les souffrances de l'immortalité.

— *Je t'en prie,* dit-elle en prenant sa main. C'est ce que je veux. Transforme-moi.

Elle plongea son regard dans le sien.

— Transforme-moi afin que je devienne une vraie vampire. Afin que je puisse être avec toi à jamais.

Il lui rendit son regard, et les larmes lui montèrent aux yeux.

— Je ne pourrais le faire, d'autant plus que je t'aime, dit-il. Tu resterais à jamais prisonnière des limbes. Tu ne pourrais jamais procréer. Je ne peux t'infliger ça. Même pour des motifs égoïstes. Et si je te transformais sans permission, mon châtiment serait très rigoureux.

Le cœur de Caitlin s'arrêta de battre. Ce n'était peut-être pas leur destin, après tout.

Caleb lui tint la main en silence.

— Nous devons nous trouver un abri, faire un feu, si nous voulons passer la nuit ici, dit-il.

Il la guida le long des falaises, en silence.

— Je pense avoir vu quelque chose tout à l'heure, dit-il, lorsque nous étions à cheval. Une grotte, précisat-il. Là.

Il désignait un point du doigt.

Il y avait bien une petite grotte, cachée dans les falaises. Elle n'était pas très grande, ni très profonde, mais elle était assez spacieuse pour les abriter.

Le sol de la grotte était fait du même sable fin que la grève, et il était éclairé par les rayons de la pleine lune. Il y avait déjà une grosse pile de bois brûlé au centre. Manifestement, d'autres personnes étaient venues ici auparavant. C'était probablement un endroit populaire pour les feux de camp, voire pour les amants.

Caleb abaissa les mains et les frotta à une vitesse prodigieuse, comme il l'avait déjà fait. En quelques secondes, les bûches s'embrasèrent et éclairèrent l'endroit. Rose s'approcha et se coucha au pied du feu.

Caitlin s'approcha à son tour, s'arrêtant à côté de Caleb et passant un bras autour de sa taille. Elle pouvait sentir la douce chaleur du feu.

Ils s'assirent tous deux, et observèrent la grotte, le plafond et les graffitis sur les murs. Elle avait la forme d'une arche, et la lumière y produisait d'innombrables reflets étranges.

— Où irons-nous ensuite? demanda Caitlin.

— Je ne sais pas, répondit-il. On dirait qu'on est dans un cul-de-sac.

— Je suis désolée, dit-elle. Peut-être que mon rêve… peut-être qu'il ne voulait rien dire. Nous avons peut-être suivi la mauvaise piste. Il faut peut-être retourner à la Maison Vincent. Quelque chose nous y a peut-être échappé, un indice qui…

Caleb posa soudainement une main sur son bras, l'interrompant. Il scrutait les murs.

Elle leva les yeux et l'aperçut elle aussi.

Il se leva, et elle le suivit.

Là, en haut, dans le coin le plus éloigné de la grotte, il y avait une empreinte dans le mur, ayant presque la forme d'une croix. Elle semblait surnaturelle, mystérieuse. Il ne l'avait vue qu'à cause de la pleine lune, et parce que le feu était si intense. Autrement, personne ne l'aurait remarquée. Elle était petite. Et, s'il n'avait eu le regard aiguisé, il l'aurait facilement manquée.

Caitlin tendit la main pour frotter la pierre. La forme se précisa davantage. C'était une petite empreinte. De la forme d'une clé.

Caitlin fouilla dans sa poche et en retira la petite clé de la Maison Vincent. Elle la souleva et lança un regard à Caleb. Il approuva de la tête.

Elle la glissa dans l'empreinte et elle s'ajusta parfaitement.

Ils échangèrent un regard médusé.

Elle tourna la clé et entendit un clic. Un petit compartiment s'ouvrit dans le mur de pierre.

Elle y inséra la main et en ressortit un rouleau. Déchiré en deux.

Ils échangèrent un regard, restant sans voix. C'était l'autre moitié du rouleau.

Caitlin fouilla dans sa poche et en sortit sa moitié du rouleau. Elle était heureuse qu'il se trouve dans un contenant de métal hermétique, à l'abri de l'air et de l'eau.

Ils rapprochèrent les deux fragments, en marchant vers le centre de la grotte, pour les tenir dans la lumière du feu.

En le faisant, ils révélèrent l'inscription complète :

Les quatre Cavaliers suivent la route de la liberté.
Ils quittent les terrains de la commune,
Entrent dans un cercle de sang,
Se rencontrent à la maison,
Et trouvent ceux qu'ils aiment
À côté de la quatrième branche de la croix.

Ils échangèrent un regard, stupéfaits par ce qu'ils venaient de trouver.

— Qu'est-ce que ça veut dire ? demanda-t-elle.

— Je... ne suis pas certain. Mais ces mots... la « route de la liberté », les « terrains de la commune »... Je me trompe peut-être. Mais je pense qu'ils pointent en direction du chemin de la Liberté. À Boston. Ça expliquerait la « route de la liberté ». Et les « terrains de la commune », ce pourrait être le jardin communal, le Boston Common. Je ne sais pas où tout cela nous dirige, mais je suppose que ça se trouve sur le chemin de la Liberté. Ce serait logique. Salem, Edgartown. Boston. Les trois ont un lien très fort.

Caitlin retourna tout ça dans son esprit, dans l'espoir d'y saisir un fil conducteur.

— Mais... comment est-ce possible ? demanda-t-elle. Tout ça semble si aléatoire. Comment pouvions-nous le trouver ici ? Dans cette grotte ? À cet endroit ?

Ça n'a aucun sens. Que se serait-il passé si nous étions allés ailleurs?

— Mais c'*est* très sensé, répliqua-t-il. Penses-y. Nous ne sommes pas arrivés ici par accident. Ton père t'a visitée. Il nous a guidés ici. Et ces chevaux nous ont conduits jusqu'à cette grotte et se sont arrêtés.

Elle lui lança un regard interrogateur.

— Les chevaux sont d'une grande aide pour la race des vampires. Ce sont des messagers mystiques. Ils viennent lorsque nous avons besoin d'eux. Ce n'était pas une coïncidence. Ils nous ont conduits ici. Parfois, les événements qui semblent être des coïncidences sont les mieux planifiés qui soient.

Elle observa le rouleau, émerveillée par la vieille écriture, par la suite de circonstances qui les avaient emmenés ici. Plus que jamais, elle sentit que tout cela s'inscrivait dans sa destinée.

Et elle commença à souhaiter que sa relation avec Caleb puisse aussi faire partie de son destin.

— Où allons-nous maintenant? demanda-t-elle. Boston?

Il fit un signe affirmatif de la tête.

— Je pense que nous devrons retourner sur ce bateau.

Chapitre 25

Kyle pressa le pas sur le pont du petit yacht, pendant qu'ils filaient vers Martha's Vineyard au petit matin. Il ne tenait pas en place. Il détestait les bateaux. Il détestait l'eau. Pire, il détestait traverser l'eau, comme la plupart des membres de sa race. Mais probablement plus que la plupart.

Le garçon russe avait maintenu que Caitlin se trouvait dans cette direction. Alors, il avait voyagé avec lui, longeant la côte, le long d'une autoroute. Mais leur chasse avait abouti dans un port. Le Russe avait pointé le doigt en direction de l'océan. Il avait maintenu que cette stupide fille, la source de tous ses désagréments, se trouvait sur l'île.

Kyle avait eu un tel accès de rage qu'il n'était plus en mesure de se contrôler. Non seulement cette fille l'avait-elle obligé à parcourir toute la côte Est, non seulement lui avait-elle fait manquer la guerre, mais elle l'obligeait maintenant à monter à bord d'un bateau, à traverser l'eau. Il s'était dirigé vers le premier yacht aperçu au quai, avait bondi à bord et tué tout l'équipage sur place. Il les avait jetés par-dessus bord, s'était emparé du bateau puis avait levé l'ancre avec le Russe. Au moins, le fait de les avoir tous tués l'avait aidé à se calmer un peu.

Mais ils étaient maintenant en pleine mer, entourés uniquement par les flots bleus, et sa rage éclata de nouveau. Il en avait assez de pourchasser cette fille. Il voulait l'avoir déjà trouvée, la tuer, après lui avoir fait cracher où se trouvait son père — ou l'épée.

Il faillit tomber à la renverse en arpentant impatiemment le pont, tellement il voulait voir le yacht avancer plus vite. Il courut vers Sergei, qui tenait la barre, et lui cria encore.

— Plus vite ! aboya-t-il.

— Je ne peux pas, maître, plaida le Russe, effrayé. Ce bateau ne peut aller plus vite.

— Tu es sûr qu'elle se trouve sur cette île ? lui demanda-t-il pour la dixième fois.

— Je suis certain qu'elle a traversé l'eau dans cette direction, répondit-il. Je sens sa trace dans mes veines.

— Ce n'est pas ce que je t'ai demandé, gronda Kyle d'un ton menaçant.

Le Russe leva la tête, regardant dans le vide, humant l'air. Pendant un moment, il sembla perplexe. Comme s'il n'était plus sûr de rien, ou avait changé d'idée. Comme s'il avait perdu sa trace.

Si c'était le cas, Kyle le tuerait sans délai.

— Je… suis sûr qu'ils ont pris cette direction. Je sens très fortement leur présence. Mais… c'est tout ce que je sais, dit-il.

Kyle explosa de colère en retournant au bastingage. Son visage s'empourpra. Il était en train de tout manquer. Après des millénaires d'attente, la guerre — *sa* guerre — se déroulait sans lui. En ce moment même, à New York, la peste commençait à se propager. Son plan, mis à exécution. Et il se trouvait ici, loin du champ de bataille, coincé sur un bateau avec ce stupide chanteur d'opéra russe. Incapable de triompher. Incapable de voir ces humains pathétiques se tordre de douleur, essayant désespérément de sauver leurs vies. C'était le moment qu'il attendait avec le plus d'impatience.

Il allait vraiment faire payer cette fille.

Kyle agrippa le bastingage avec une telle rage qu'il le tordit, puis l'arracha complètement du pont.

Pendant que Caitlin se tenait sur le traversier, tenant la rampe, l'eau se déplaçant lentement en bas, Rose bien enfoncée dans son manteau et Caleb à ses côtés, elle inspecta l'horizon. Elle ne pouvait voir la terre, mais elle savait qu'elle apparaîtrait bientôt.

Une partie d'elle-même souhaitait ne jamais revoir la terre. Tant qu'ils étaient sur la mer, entourés par les flots bleus, les choses resteraient inchangées. Elle et Caleb resteraient ensemble. Mais lorsqu'elle repéra la terre à l'horizon, elle savait que la vie commencerait inexorablement à changer. Une fois qu'ils seraient sur la terre ferme, ils seraient attirés, comme par un aimant, en plein cœur de Boston, sur le chemin de la Liberté. Elle savait que ce serait l'étape finale de leur quête. Elle pouvait le sentir. Et ça la terrifiait.

Selon toute vraisemblance, Caleb était nerveux lui aussi. Elle jeta un coup d'œil dans sa direction et put voir qu'il agrippait la rampe, regardant par-dessus bord. Elle pouvait lire la préoccupation sur son visage. Elle commençait à reconnaître ses expressions faciales, et elle savait que celle-là ne se montrait pas souvent. Elle pouvait voir qu'elle ne provenait pas de sa peur de l'eau. C'était autre chose. Avait-il peur lui aussi de ce que leur réservait l'avenir? Ou de ce qui arriverait une fois qu'ils auraient trouvé l'épée?

Ils savaient tous deux que, lorsqu'il l'aurait trouvée, il ne pourrait prendre Caitlin avec lui. Il serait sur le sentier de la guerre. Retournant probablement à son cercle, en plein cœur d'une guerre de vampires. Elle ne voyait pas le rôle qu'elle pourrait jouer là-dedans. Mais elle ne pouvait s'imaginer vivre sans lui non plus.

Les choses avaient changé entre eux maintenant. Comme il glissait le bras autour de sa taille et la serrait contre lui, elle comprit qu'elle n'avait jamais été aussi proche de quelqu'un auparavant. C'était presque comme s'ils ne formaient qu'un seul esprit, regardant l'eau. Elle était une nouvelle femme. Et elle sentait que, même si ce n'était qu'un peu, il avait changé la nuit dernière, lui aussi.

Cette fois, sur le chemin du retour, ils restèrent silencieux. Ils ne pensèrent pas au dernier indice, n'essayèrent pas de déchiffrer l'énigme, essayant de trouver où elle pourrait les mener. Ils étaient simplement contents d'être l'un près de l'autre, d'être l'un avec l'autre. Ils n'avaient pas besoin de parler. C'était le calme avant la tempête, et ils souhaitaient seulement en profiter.

Soudainement, Caleb fit une grimace. Ses traits se durcirent, comme lorsqu'il s'apprêtait à se battre.

Elle lui lança un regard.

— Qu'est-ce qu'il y a ? demanda-t-elle.

Il fixait l'horizon, plissant les yeux, serrant les dents. Il resta silencieux pendant plusieurs secondes.

— Je sens quelque chose, dit-il.

Elle attendit qu'il ajoute quelque chose, mais il n'en fit rien.

— Quoi ? demanda-t-elle enfin.

Il fixa le vide pendant plusieurs secondes encore.

— Je ne sais pas, dit-il. Je sens une grande perturbation. Je peux sentir que mon peuple souffre... Je sens... des personnes qui nous cherchent. Et je sens... que nous fonçons vers un grand danger.

Chapitre 26

Tandis que leur yacht s'arrêtait au quai d'Edgartown, Kyle n'en pouvait plus d'attendre. Il bondit du pont, plana sur environ six mètres, puis atterrit agilement sur la jetée, laissant le soin au Russe d'amarrer le bateau.

Sur la terre ferme, il se sentait déjà mieux.

Le Russe fut rapide, coupant le moteur, amarrant le yacht et se précipitant pour rattraper Kyle.

— Hé, vous ne pouvez pas amarrer votre bateau ici ! cria un homme dans la cinquantaine.

Il était bedonnant et avait les joues rouge vif. Il avançait en manifestant bruyamment sa colère.

— Ce quai est privé ! Il est réservé aux…

Avant que l'homme ne termine sa phrase, Kyle l'agrippa à la gorge d'une seule main. Il avait appuyé avec une telle force qu'il avait soulevé l'homme corpulent de plus d'un mètre dans les airs, le laissant pendre dans le vide.

Les yeux de l'homme étaient exorbités, et sa face prenait une teinte cramoisie. Kyle grimaça puis, d'un mouvement souple, le projeta loin du quai.

L'homme atterrit loin dans l'eau en faisant un grand floc.

Kyle espérait bien l'avoir tué. Il aurait dû lui serrer la gorge plus longtemps.

— Où est-elle ? gronda Kyle entre ses dents.

Le Russe avait l'air nerveux, essayant de se repérer.

— Si tu l'as perdue, je te tue, dit Kyle en détachant ses mots.

Le Russe regarda autour de lui, et dirigea son regard vers la rue principale.

— Elle est passée par là, dit-il.

Il s'engagea dans la direction qu'il venait d'indiquer, Kyle sur ses talons.

Kyle et Sergei montèrent l'escalier de l'église de chasseurs de baleines d'Edgartown et, sans même ralentir, Kyle donna un coup de pied dans la double porte.

Les deux battants s'ouvrirent en produisant un craquement retentissant, et Kyle s'engouffra dans la salle, se dirigeant directement au centre de l'église. Sergei trottinait derrière lui. Ils s'arrêtèrent au milieu de la pièce vide et l'inspectèrent du regard.

Il n'y avait personne.

Kyle agrippa le Russe par les épaules.

— J'en ai marre ! rugit-il. OÙ EST-ELLE !!?

— Là où vous ne la trouverez jamais, lança une voix calme et posée, provenant de l'arrière de l'église.

Kyle et Sergei firent volte-face.

Roger se tenait dans l'entrée, les dévisageant calmement.

Kyle sentit un changement d'énergie, et savait qu'il se trouvait devant l'un de ses semblables. Enfin. Plus d'humains pour s'interposer. Ils se rapprochaient.

Kyle marcha lentement, Sergei à ses côtés.

— Au contraire, dit lentement Kyle, vous allez me dire exactement où elle est, avec qui elle est et où elle se rend.

Ils se dirigeaient vers Roger.

Ce dernier fit quelques pas dans leur direction, tendit soudainement le bras vers l'arrière et projeta quelque chose vers eux.

Kyle vit l'objet s'approcher, mais Sergei n'était pas aussi rapide.

Une lance antivampire, très pointue, fonçait directement sur eux. Kyle se pencha à temps, mais pas Sergei. La lance à pointe d'argent écorcha sa joue, perça la peau et creusa une plaie, avant de poursuivre sa route. Ce n'était pas un coup de plein fouet, mais il avait touché suffisamment la cible pour faire jaillir beaucoup de sang.

Sergei hurla de douleur, en portant les mains à son visage, qui était couvert de sang.

Kyle ne perdit pas une seconde. Il fit trois enjambées, bondit dans les airs et donna un puissant coup de pied sur la poitrine de Roger, le faisant voler à travers la pièce et s'écraser contre un mur.

Avant que Roger ne puisse se relever, Kyle se trouvait déjà sur lui, en train de l'étrangler.

Kyle sentait l'énergie de Roger; il pouvait sentir qu'il faisait partie des Anciens. Un vampire si vieux que sa force avait grandement diminué. Kyle était plus fort, et savait qu'il pouvait facilement le tuer. Mais il comptait plutôt le torturer. À petit feu.

Kyle aperçut un mouvement rapide de la main de Roger, la lueur furtive d'un objet jaune. Avant de pouvoir faire un geste, il avait déjà compris.

Roger avait glissé en douce une pilule de suicide dans sa bouche.

Il était trop tard.

Kyle sentit le corps s'affaisser dans ses bras.

En ressentant l'une des plus grandes rages de son existence, il projeta sa tête vers l'arrière et poussa un rugissement primitif qui fit trembler tous les carreaux de l'église.

Chapitre 27

Sam avait encore la tête qui tournait.

La scène dans la roulotte avait été si fulgurante qu'il avait peine encore à la digérer. Cette crapule. Le couteau. Le combat. Sa joue. Et puis Samantha. Qui le tuait aussi simplement que ça. C'était incroyable. Qui était-elle?

Il était assis en face d'elle sur la banquette d'une cantine mobile. Il lui jeta un coup d'œil. Il était attiré plus que jamais par elle — mais il était maintenant aussi méfiant. Sur ses gardes. Elle semblait totalement détendue, sirotant son lait fouetté à la vanille, et il n'arrivait pas à comprendre. Était-ce la même fille? C'était une fille du tonnerre, totalement cool, et il aimait traîner avec elle —, mais c'était aussi une fille psychotique, complètement démente, qui avait achevé ce type sans même sourciller. L'avait-elle vraiment tué?

Tout s'était passé si vite, et l'endroit était si sombre; il ne pouvait même pas dire ce qui s'était exactement passé. Mais il se rappelait le bruit, ce craquement sinistre lorsqu'elle lui avait tordu le cou. Et il se rappelait avoir vu le type s'écraser au sol, complètement flasque. Le mec avait l'air mort. Mais il ne pouvait en être sûr. Elle l'avait peut-être simplement assommé.

Mais encore. Comment avait-elle fait ça? Le mec était rude. Et il avait un couteau.

Pour la millième fois, il se détesta lui-même. Il avait été si stupide. Naïf. Comment avait-il pu le croire, comment était-il devenu la victime d'un cyberprédateur? Était-il idiot à ce point? Qu'avait-il dans la tête? Il avait si honte. Par-dessus tout, il était convaincu plus que jamais qu'il ne retrouverait jamais son père.

Et pour couronner le tout, il avait entraîné Samantha dans cette aventure. Et pire, il n'avait même pas été capable de la protéger. C'est elle qui avait dû le protéger. C'était drôlement embarrassant. Elle devait penser qu'il était un foutu connard.

Il craignait qu'elle ne le plante là. Elle aurait bien raison.

— Ça va? demanda-t-elle en observant sa joue.

Il se rappela soudainement sa joue. Il tira sur l'essuie-tout qui était collé sur son visage. Il l'inspecta. Le saignement avait diminué — mais il souffrait toujours comme une bête.

— Ouais, dit-il avant de lui jeter un coup d'œil.

Il remarqua qu'elle n'avait même pas une seule égratignure.

— Alors, comment as-tu fait ça? Je veux dire, pour botter les fesses de ce gars?

Elle haussa les épaules.

— J'ai étudié le karaté pendant presque toute ma vie. J'espère que ça ne t'a pas fait paniquer. Mais ce type était vraiment dangereux, et je ne voulais pas prendre de chance. C'était vraiment une prise facile. Je peux te la montrer.

Elle avait l'art de toujours faire en sorte qu'il se sente mieux. C'est comme si elle savait ce qu'il pensait, et savait comment le mettre à l'aise. C'était incroyable. Tous ses soucis s'envolèrent.

— Je suis vraiment désolé, dit-il. Je suis un véritable idiot. Je ne peux pas croire que je t'ai emmenée là.

— Hé, dit-elle, on voulait faire un tour, pas vrai?

Il la regarda, puis ils éclatèrent de rire tous les deux.

La tension s'évanouit.

Sam tendit la main vers son hamburger et prit une grosse bouchée. Pendant qu'il le faisait, Samantha fixa soudainement son poignet. Elle s'approcha et l'agrippa de ses mains glacées.

Sam baissa son hamburger, en se demandant ce qu'elle faisait. Elle approcha le poignet pour l'examiner de plus près. Sa montre. Elle observait sa montre.

En le faisant, son expression changea. Elle avait retrouvé tout son sérieux. Elle était même pétrifiée.

— Quoi? demanda-t-il finalement.

— Où l'as-tu eue? demanda-t-elle d'un ton solennel.

Il regarda sa montre. Il avait complètement oublié qu'il la portait. Il l'avait toujours portée, depuis qu'il était enfant. C'était comme une partie de lui-même, et il ne se rendait même plus compte qu'il la portait. C'était une montre à l'aspect bizarre, il devait le lui accorder. Mais il ne pouvait comprendre pourquoi elle en faisait tout un plat.

— Elle était à mon père, dit-il. Enfin, je pense. J'étais trop jeune pour me souvenir. Je l'ai toujours eue.

Sam l'examina maintenant lui-même avec curiosité. Elle était recouverte d'un métal étrange — il avait toujours pensé que c'était un genre de platine —, et il y avait ces drôles d'encoches sur le côté. Elle semblait très ancienne, et produisait un drôle de tic-tac. Il s'étonna même de ne jamais avoir eu besoin de la remonter ou de changer la pile. Elle continuait simplement à faire tic-tac et à marquer parfaitement l'heure.

Elle fit glisser ses doigts sur la surface.

— Tiens, dit-il en l'ôtant. Vas-y. Regarde-la. Tu peux même l'essayer, si tu veux. Il y a même quelque chose d'intéressant à l'arrière. Mais je n'ai jamais trouvé ce que ça voulait dire.

Il tendit la montre à Samantha.

Elle avait l'air d'une enfant dans un magasin de jouets lorsqu'il déposa la montre dans sa paume. Elle la retourna et l'examina attentivement. Ses yeux s'écarquillèrent. Elle semblait sincèrement surprise.

— C'est quoi ? Tu peux le lire ? Je pense que c'est… de l'italien ou quelque chose comme ça, dit-il.

— C'est du latin, corrigea-t-elle en murmurant, le souffle coupé.

Elle le regarda, plongeant ses magnifiques yeux dans les siens. Ils étaient écarquillés de surprise et d'excitation.

— Ça veut dire : *La rose et l'épine se rencontrent à Salem.*

Chapitre 28

Caitlin et Caleb se trouvaient dans le parc Boston Common, au sommet d'une petite colline, passant l'endroit en revue. Il tenait une carte du chemin de la Liberté, qu'il venait d'acheter, et il y faisait glisser son doigt encore et encore. Caitlin se tenait à côté de lui, tenant les deux moitiés du rouleau ancien.

— Tu peux le relire, dit-il.

Caitlin plissa des yeux pour ajuster les mots. Elle lut :

Les quatre Cavaliers suivent la route de la liberté.
Ils quittent les terrains de la commune,
Entrent dans un cercle de sang,
Se rencontrent à la maison,
Et trouvent ceux qu'ils aiment
À côté de la quatrième branche de la croix.

— « La route de la liberté », répéta Caleb à voix haute, en se concentrant. Ça *doit* faire référence au chemin de la Liberté. Ce serait parfaitement cohérent. C'est exactement au milieu, exactement entre Salem et Martha's Vineyard. Et nous sommes au centre. Et « les terrains de la commune », ce *doit* être le jardin communal, le parc Boston Common, où nous sommes en ce moment.

Ce serait aussi cohérent. Au XVIIe siècle, sur la colline où nous sommes, ils ont pendu les sorcières. C'est un endroit important, surtout pour la race des vampires. Le rouleau… dit qu'ils « quittent les terrains de la commune ». Ça signifie que nous *partons* d'ici. Je ne sais pas pourquoi. Et le reste… « un cercle de sang »… « se rencontrent à la maison »… « la quatrième branche de la croix »… Je ne sais pas où nous devons aller à partir d'ici.

Caitlin fouilla encore une fois les lieux du regard. Leur position était élevée. Elle pouvait voir qu'il restait de la neige, en dépit du temps doux, et plusieurs enfants faisaient de la luge, criant de plaisir, accompagnés de leurs parents. En survolant l'endroit du regard, Caitlin constata qu'il s'agissait d'un parc magnifique et idyllique. Il était difficile d'imaginer qu'on y avait pendu des sorcières.

Elle inspecta le sommet de la colline, mais il n'y avait qu'un gros arbre. Aucun indice en vue.

— Pourquoi « quatre cavaliers » ? demanda-t-elle. Qu'est-ce que ça signifie ?

— C'est une référence à l'Apocalypse. Les Quatre Cavaliers de l'Apocalypse, qui chevauchent aux quatre coins de la terre. Je pense que cela veut dire que, si nous ne trouvons pas l'épée, ce sera l'apocalypse.

— Ou peut-être, dit-elle, que nous causerons l'apocalypse si nous la *trouvons*.

Caleb, plongé dans ses pensées, se tourna pour la regarder.

— Peut-être, admit-il d'une voix douce.

Il regarda autour de lui.

— Mais pourquoi *ici* ? demanda-t-il encore une fois. Pourquoi cet endroit ?

Caitlin réfléchit, puis eut une inspiration soudaine.

— Peut-être que ce n'est pas cet endroit, dit-elle. Il s'agit peut-être de quitter cet endroit. Cela concerne le cheminement, le circuit, ajouta-t-elle.

Il la regarda.

— Que veux-tu dire ?

— Le rouleau parle d'un trajet, du fait de partir d'un endroit pour se rendre à un autre. Il veut peut-être simplement que nous *allions* à ces endroits, que nous suivions le chemin. Sans nécessairement trouver des objets sur la route. Ce qui compte, c'est le *cheminement*.

Caleb fronça les sourcils.

— C'est comme les personnes qui suivent ces dédales, ces labyrinthes, dit-elle. C'est le circuit, le cheminement, et non la destination qui compte. En suivant certaines directions, en réalisant dans le parcours des motifs particuliers, cela est censé nous changer d'une façon ou d'une autre.

Caleb la regarda avec admiration. Il semblait aimer son idée.

— D'accord, dit-il. J'achète. Mais encore. Où marcherons-nous ? Où faut-il aller ?

— Eh bien, dit-elle en examinant à nouveau le rouleau, il dit qu'ils quittent « les terrains de la commune », et entrent dans un « cercle de sang ». Alors, notre prochaine destination sera le cercle de sang.

— Qui est ? demanda-t-il.

Elle s'approcha de lui et regarda la carte. Il y avait 18 sites sur le chemin historique de la Liberté. Au moins quatre kilomètres de long. Elle se sentait démunie simplement à regarder. Elle n'avait aucune idée de leur prochaine destination. Elle examina tous les sites, mais aucun ne semblait avoir la forme d'un cercle, ou d'un anneau. Et il n'y avait aucune référence à un cercle de sang.

Elle lut les légendes de la carte, mais ne trouva rien.

Puis, elle remarqua quelque chose.

Il avait une note en bas de la carte. Sous la légende de l'ancien capitole. Elle disait : «Au pied de l'édifice, sur la chaussée, se trouve l'emplacement commémorant le massacre de Boston.»

— Ici, dit-elle d'une voix où perçait l'excitation, tout en pointant du doigt. Le massacre de Boston. On ne parle pas de cercle, mais ça fait un bon candidat pour le sang.

Elle lui lança un regard.

— Qu'en penses-tu ? demanda-t-elle.

Caleb étudia la carte, puis la regarda finalement.

— Allons-y.

Comme Caitlin et Caleb quittaient le parc, tournant
sur Court Street et se dirigeant vers le centre du quartier historique de Boston, ils aperçurent l'ancien capitole. C'était un grand édifice en briques, parfaitement
conservé depuis le XVIIIᵉ siècle, avec de nombreuses
fenêtres d'époque, et il était couronné d'une grande
coupole blanche. Il était renversant de beauté et de
simplicité.

En arrivant au pied de l'édifice, ils longèrent
sa structure, cherchant l'emplacement du massacre
de Boston. Finalement, en tournant le coin, ils le
découvrirent.

Ils s'immobilisèrent immédiatement.

C'était un cercle. Un cercle parfait.

L'emplacement marquant le massacre de Boston
était petit, à peine plus grand qu'une bouche d'égout.
Ils s'approchèrent pour l'examiner.

Il n'y avait aucune marque spéciale. Seulement un
humble cercle, fait de petits pavés, incrusté dans le sol
au pied de l'ancien capitole.

— C'est logique, dit Caleb. Nous sommes certaine-
ment sur la bonne voie.

— Pourquoi?

— Le balcon qui se trouve au-dessus, dit-il en
le désignant d'un geste. C'est là que la Déclaration
d'Indépendance a été lue pour la première fois.

Caitlin regarda le petit balcon sur le bâtiment.

— Vraiment? demanda-t-elle.

Caleb respira profondément, avant de se lancer
dans les explications.

— La création de cette nation était réellement la création d'une nation *vampirique*. La liberté et la justice pour tous. La fin des persécutions religieuses. Un petit groupe de gens conquérant une grande et puissante nation. Penses-tu vraiment qu'un petit groupe d'humains aurait pu accomplir cet exploit ?

Il fit une pause avant de continuer :

— C'était *nous*. *Notre* race. C'est ce que ne raconteront pas les livres d'histoire. La création de l'Amérique était la création de *notre* nation. Mais les races de vampires malfaisantes, comme le cercle de Blacktide, ont essayé de détourner notre œuvre depuis lors. C'est pourquoi il y a toujours eu deux factions en guerre. Le bien et le mal. La liberté et la persécution. Partout où on trouve l'un, on trouve l'autre. Ton père, peu importe qui il était, je suis sûr qu'il faisait partie de nos fondateurs. C'étaient les plus puissants vampires. Et c'est eux qui détenaient la plus puissante des armes, et qui l'ont cachée pour les générations futures.

— Cachée ? demanda Caitlin, en essayant d'assimiler tout ça.

— L'épée que nous cherchons, l'épée turque, est conçue pour protéger, non pour attaquer. Une fois entre de bonnes mains. Mais entre de mauvaises mains, elle peut être une arme horrible. C'est pourquoi on l'a cachée avec de telles précautions. Seules les bonnes personnes sont destinées à la trouver. Et si quelqu'un était en position pour la cacher, c'était bien ton père.

C'était beaucoup trop d'informations à la fois pour elle. Elle avait de la difficulté à tout intégrer, à croire que tout ça était vrai. Mais les éléments semblaient se recouper. Et elle sentait qu'ils approchaient du fil d'arrivée.

— Je ne vois aucun indice ici, dit Caitlin en inspectant les environs.

— Moi non plus, dit-il. Mais si ta théorie est exacte, et qu'il faut se concentrer sur le chemin, ça voudrait dire que nous devions voir ça, peu importe la raison, et puis poursuivre notre route.

Caleb prit le rouleau et l'étudia à nouveau, le tenant avec elle.

— «Se rencontrent à la maison», lut-il lentement.

Il réfléchissait.

— Quelle maison? demanda-t-il à voix haute.

Caitlin sortit encore la carte du chemin de la Liberté.

— Il y a beaucoup de maisons sur ce chemin : la maison de Paul Revere, la maison de John Coburn, la maison de John J. Smith... ce pourrait être n'importe laquelle. Ça pourrait même être une maison qui ne se trouve pas sur le chemin, ajouta-t-elle.

— Je pense qu'il y a une raison pour laquelle nous suivons ce chemin, dit Caleb. Peu importe ce que c'est, je sens qu'elle doit être sur ce chemin.

Ils continuèrent d'étudier la carte ensemble, lisant toutes les légendes. Soudainement, Caitlin s'arrêta. Quelque chose venait de lui frapper l'esprit.

— Et si ce n'était pas une maison ? dit-elle.

Caleb lui lança un regard.

— D'une certaine manière, l'allusion à une maison me semble trop évidente. Tous les autres indices étaient plus subtils. Ce n'est peut-être pas à prendre au sens littéral. Mais au sens figuré.

Elle fit courir son doigt sur le tracé du chemin.

— Par exemple, et si c'était une église ? Regarde, dit-elle en pointant du doigt. L'église Meeting House[2]. C'est juste au coin.

Les yeux de Caleb s'écarquillèrent. Il approuva de la tête, puis lui adressa un sourire.

— Je suis heureux que tu sois de mon bord, dit-il.

Ils descendirent rapidement Washington Street et, au bout d'un moment, se trouvèrent devant l'église Meeting House. C'était une autre église historique, parfaitement conservée.

Ils entrèrent, mais furent arrêtés par une gardienne.

— J'ai bien peur que nous ne soyons fermés, dit-elle. C'est un écomusée. Il est 17 h. Sentez-vous libres de repasser demain.

Caleb se tourna vers Caitlin, et elle put sentir à quoi il pensait. Il voulait qu'elle pratique son pouvoir mental sur cette femme.

---

2. N.d.T. : En anglais, *Meeting House* signifie littéralement « maison de rencontre ».

Caitlin capta son regard et lui envoya une suggestion mentale. *Elle les laissera passer. Elle fera une exception pour eux.*

La femme rendit soudainement son regard à Caitlin. Puis cligna des yeux.

Elle dit soudainement :

— Vous savez quoi? Vous avez l'air d'un gentil petit couple. Je vais faire une exception pour vous. Mais ne le dites à personne, dit-elle en leur adressant un clin d'œil.

Caleb se tourna vers Caitlin et sourit. Ils entrèrent tous les deux.

L'église était magnifique. C'était une grande salle ouverte, avec d'imposantes fenêtres dans toutes les directions, et remplie de bancs d'église en bois, tous vides. Ils étaient seuls dans la place.

— C'est immense, dit Caitlin. Et maintenant?

— Suivons la piste pour commencer, suggéra-t-il en désignant d'un geste la bande marquée de grandes flèches rouges, qui se trouvait à leurs pieds et indiquait aux visiteurs la route à suivre.

La piste les conduisit vers un ensemble d'objets exposés et de petites plaques, disposés le long de la rampe en bois. Ils s'arrêtèrent pour lire.

Les yeux de Caitlin s'écarquillèrent.

— Écoute ça, dit-elle. «À cet endroit, en 1697, le juge Sewall s'excusa d'avoir été l'un des juges de Salem qui, en 1692, avaient condamné les sorcières à mort.»

Caitlin et Caleb échangèrent un regard. L'allusion à Salem les anima. Ils devaient être au bon endroit. Tous les indices de leur quête convergeaient. Ils sentaient qu'ils se rapprochaient de leur objectif. Comme si l'épée se trouvait directement sous leurs pieds.

Mais ils regardèrent attentivement autour d'eux, et ne virent rien, aucun indice qui pourrait les conduire ensuite ailleurs.

— Eh bien, ce doit être le «lieu de rencontre». Et si tu as raison, et si ça concerne le cheminement, alors la question est : où est la quatrième place ?

Il tint de nouveau le rouleau.

Ils quittent les terrains de la commune,
Entrent dans un cercle de sang,
Se rencontrent à la maison,
Et trouvent ceux qu'ils aiment
À côté de la quatrième branche de la croix.

— Nous avons quitté «les terrains de la commune», dit-il, nous sommes entrés dans le «cercle» et nous nous sommes «rencontrés à la maison». Nous devons maintenant «trouver ceux qu'ils aiment, à côté de la quatrième branche de la croix». Alors, si tu as raison, et que c'est un circuit, il nous reste une dernière destination.

Ils restèrent plantés là à se creuser les méninges.

— Je pense que «trouver ceux qu'ils aiment» fait référence à ton père, dit-il. Je pense que nous touchons au but. Mais où ? C'est quoi « la quatrième branche de la croix » ? Une autre église ?

Caitlin réfléchit. Elle se creusa encore et encore les méninges. Elle étudia le rouleau, puis commença à examiner la carte. Elle aussi sentait qu'ils étaient près du but, qu'il ne restait peut-être qu'une étape. Mais ça ne lui venait pas instinctivement. Elle regarda toutes les autres églises qui se trouvaient sur le chemin de la Liberté, mais aucune d'entre elles ne lui disait quoi que ce soit.

Puis, cela frappa soudainement son esprit. Elle recula d'un pas, puis regarda de nouveau la carte. Elle fit glisser son doigt en dessinant une forme, en passant par tous les endroits qu'ils avaient visités. Une lueur d'excitation éclaira son regard.

— Un crayon, dit-elle le souffle coupé. Vite. Il me faut un crayon.

Caleb courut dans l'allée et trouva un stylo dans un des bancs d'église. Il se précipita vers Caitlin.

— C'est une forme, dit-elle. Nous avons marché en suivant un dessin. Nous sommes partis du parc communal, dit-elle en l'encerclant. Ensuite, nous sommes entrés dans le cercle de sang.

Elle les relia par une ligne, et encercla le deuxième emplacement.

— Puis, nous sommes allés au lieu de rencontre.

Elle l'encercla et le relia à la première ligne. Elle tendit son dessin à Caleb.

— Regarde où nous sommes allés. Regarde la forme.

Il cligna des yeux, n'étant pas très sûr de ce qu'il devait voir.

Elle traça une ligne droite pour compléter la forme.

Les bras lui en tombèrent quand il la reconnut.

— Une croix, dit-il calmement. Nous devions marcher en créant la forme d'une croix.

— Oui, dit-elle d'une voix où perçait l'excitation. Et si nous suivons la ligne, si nous complétons symétriquement la croix, cela ne peut nous conduire qu'à un endroit.

Ils suivirent la ligne qu'elle venait de tracer.

Juste là, à cet endroit précis, au bout de la quatrième branche de la croix se trouvait le cimetière de la chapelle du roi.

— Ceux qu'ils aiment, dit Caleb. Le cimetière.

— Il est enterré là, dit-elle.

— Et je parie qu'il en est ainsi de l'épée.

Samantha poussait la BMW à toute allure dans la banlieue de Boston, Sam à ses côtés dans le siège du passager. Ils filaient sur l'autoroute qui mène à Salem. Elle était de plus en plus irritée par les obstacles qui surgissaient sans cesse sur la route menant à son père. Lorsqu'elle avait vu les messages Facebook, lorsque Sam lui avait raconté avec un tel enthousiasme qu'il avait retrouvé son père, elle avait cru que ce serait un jeu d'enfant. Elle l'aurait conduit à la maison de son père, et serait arrivée directement à l'épée.

Mais les choses s'étaient révélées plus complexes. Elle ne s'était pas attendue à rencontrer ce type dégueulasse, ni surtout, à se prendre d'affection pour Sam. Ça compliquait les choses. La rendait moins efficace. Son plan original était simple : trouver son père, les tuer tous les deux et revenir avec l'épée. Maintenant, elle n'était plus sûre d'avoir envie de tuer Sam. Surtout lorsqu'elle le regardait et voyait cette fraîche cicatrice sur sa joue, lui rappelant qu'il avait essayé de la sauver.

Elle était très en colère contre elle à ce sujet, en colère pour son manque de discipline. Elle détestait les sentiments. Ils constituent toujours un obstacle.

Après avoir vu la montre, qui les avait mis sur la piste de Salem, elle aurait pu le plaquer là. Mais, pour une raison bizarre, elle aimait le garder près d'elle. Elle ne pouvait vraiment comprendre pourquoi. Elle lui avait dit qu'elle avait besoin de son aide, pour quelque chose d'important pour elle, et qu'ils devaient se rendre à Salem. Est-ce que ça lui tentait ? Il lui avait adressé un grand sourire. Manifestement, il ne s'inquiétait pas trop de retourner à l'école.

De plus, elle pourrait toujours l'utiliser pour retrouver son père. Elle avait eu un coup de chance avec la montre. Mais Salem était vaste. Et l'inscription pouvait signifier bien des choses. Ce serait peut-être pratique de l'avoir sous la main.

Soudainement, elle sentit quelque chose et appliqua brusquement les freins. Les pneus crissèrent jusqu'à ce que la voiture s'immobilise.

— Ouah, s'écria Sam en tapant des paumes sur le tableau de bord. Qu'est-ce qui se passe ?

Plusieurs voitures firent grincer leurs pneus en s'arrêtant brusquement derrière elle, faisant retentir leur klaxon.

Mais Samantha s'en fichait. Elle avait senti quelque chose dans l'atmosphère. Une vibration.

Elle souleva le menton. Pour sentir les choses.

Oui. Encore une fois. Tout près. Le signal était clair. Il y avait une activité vampirique d'importance. Ici même, à Boston. La vibration émise l'atteignait jusqu'à la fibre. C'était tout près. Elle ressentait l'urgence. Peut-être cela avait-il même à voir avec l'épée.

Elle sortit du flot de circulation et fit un large demi-tour. Les voitures des deux bords de l'autoroute freinèrent brusquement et bruyamment pendant qu'elle lançait sa voiture à toute allure en sens contraire de Storrow Drive.

Sam fut projeté contre la portière, tout en essayant de s'orienter.

— Qu'est-ce qui presse autant ? demanda-t-il d'un ton où perçait la surprise, et une pointe d'inquiétude.

Samantha roula sur quelques centaines de mètres, avant de couper brusquement à gauche, en faisant crisser ses pneus et en traversant d'un coup quatre voies de circulation.

— Changement de programme, dit-elle.

✥

Kyle bondit du yacht avant même que ce dernier ait accosté, et atterrit avec agilité sur le pavé de Boston. Le Russe atterrit bientôt à ses côtés.

Il avait pensé plusieurs fois tuer le Russe pendant la traversée mais, même en supposant que ça l'aurait rendu heureux pendant quelques instants, il n'aurait pas obtenu ce qu'il souhaitait. Il avait décidé de lui donner une dernière chance, pour voir s'il pouvait le conduire cette fois dans la bonne direction.

Si le Russe ne trouvait pas sa piste à Boston, il le tuerait sans hésitation. Et il chercherait simplement un moyen de rechange. Il l'observa avec impatience.

Au moins, le garçon avait toujours cette blessure profonde à la joue. Kyle était absolument certain qu'elle laisserait une énorme balafre. Cette pensée sut le réjouir.

Par bonheur pour le Russe, ses yeux s'illuminèrent, et il détecta la trace de sa proie.

— Elle se trouve ici, maître, sans le moindre doute, dit-il d'une voix où perçait l'excitation. Je la sens. Très fortement. À quelques coins de rue.

Kyle sourit. Cette fois, ça semblait vrai. Oui, il le croyait. Quelques coins de rue. Il aimait le son de ces mots.

Kyle s'approcha d'une voiture de ville neuve, rutilante, dont le conducteur se tenait à côté de la portière ouverte.

Comme ils s'approchaient, le Russe ouvrit la portière du côté passager et s'installa dans le véhicule.

— Hé! cria le conducteur.

Avant qu'il ne puisse réagir, Kyle lui assena un violent coup de poing, qui le projeta loin dans les airs. Sans même ralentir, Kyle s'installa du côté conducteur et, comme la voiture était déjà en marche, démarra sur les chapeaux de roues.

Il fila à toute allure dans le trafic bostonien, changeant brusquement de trajectoire pour le simple plaisir et frappant durement un autre véhicule. Les klaxons commencèrent à retentir autour de lui. Il sourit de toutes ses dents. Il se sentait juste un peu mieux.

Dans quelques moments, il le savait, l'épée serait entre ses mains.

Alors, il les tuerait tous.

Chapitre 29

Caitlin et Caleb quittèrent l'église Meeting House, tournèrent sur School Street, et aperçurent le cimetière de la chapelle du roi, de King's Chapel. Il n'était qu'à deux coins de rue.

La quatrième branche de la croix, pensa Caitlin, *c'est parfaitement logique.*

Tandis qu'ils marchaient, elle s'émerveilla qu'ils aient décrit, en marchant pendant tout ce temps, la forme d'une croix, comme s'ils avaient été guidés par une main invisible.

Caitlin sentit son cœur s'accélérer. Elle était nerveuse de rencontrer enfin son père, s'il était toujours vivant. Et nerveuse de voir sa pierre tombale, s'il était mort. D'une manière ou d'une autre, elle ne savait pas comment elle allait réagir. Mais elle était également enthousiaste, soulagée de savoir enfin qui il était exactement, de qui elle descendait. Elle était enthousiaste de découvrir quelle était sa famille, et ce que serait sa destinée.

Mais elle était aussi anxieuse que cela puisse signifier la fin de sa relation avec Caleb. Que se passerait-il s'ils découvraient vraiment l'épée ? Que ferait-il alors ?

Partirait-il pour faire la guerre? Pour sauver son cercle? Que se passerait-il alors avec elle?

Ils se tenaient la main en marchant vers le cimetière, qui était à une trentaine de mètres. Elle sentit que la prise de Caleb se resserrait. Il nourrissait peut-être les mêmes pensées qu'elle. Peu importe ce qu'ils trouveraient au cours des prochaines minutes, cela pourrait changer leur vie à jamais. Caitlin sentit Rose s'enfoncer dans son manteau.

Le soleil se couchait lorsqu'ils entrèrent dans le petit cimetière. Le cimetière de King's Chapel était plutôt sombre, et représentait le plus petit et méconnu des deux cimetières historiques de Boson. Il n'était pas grand du tout, avec ses quelque trente mètres de largeur, et seulement une centaine de mètres de profondeur. Il était couvert de petites pierres tombales, humbles, qui avaient quelques centaines d'années.

Un petit chemin en pavés sillonnait le cimetière. Caitlin posa Rose par terre, et ils marchèrent tous les trois ensemble. Caitlin et Caleb inspectèrent chacune des pierres tombales. Le cœur de Caitlin battait rapidement pendant qu'elle lisait chaque inscription. Était-ce là son père? Ou là-bas?

Ils commencèrent au fond, à la dernière rangée, et passèrent d'une pierre à l'autre, cherchant un indice, n'importe quoi. Elle se sentit attirée vers les plus grosses pierres, les plus gros monuments. Elle avait espéré que son père soit quelqu'un d'important, peu importe à quelle époque il avait vécu, et souhaitait que l'un des grands monuments lui soit réservé.

Mais ce n'était pas le cas. En fait, son nom n'apparaissait nulle part.

Lorsqu'ils furent sur le point de terminer leurs recherches, étant revenus à l'entrée du cimetière, Caitlin regarda autour d'elle et constata que c'était la dernière rangée de tombes. C'était la rangée la plus rapprochée de la rue, la plus rapprochée de l'entrée. Ils la parcoururent lentement, examinant une pierre après l'autre.

Et là, complètement au bout, ils trouvèrent quelque chose.

Une pierre tombale : « Élizabeth Paine. Décédée en 1692. »

C'était la même Élizabeth, celle de Salem. La même femme que dans *La Lettre écarlate* de Hawthorne. La même femme qui, d'après Caleb, avait épousé un vampire. La même femme qui portait le nom de famille de Caitlin. Elle était enterrée ici.

Était-ce celle qu'ils avaient cherchée pendant tout ce temps ? Caitlin cherchait-elle, non son père, mais sa *mère* ?

Ou était-ce le mari d'Élizabeth qui était le vampire ?

Caleb se rapprocha et s'agenouilla à côté de la pierre avec Caitlin. Rose vint s'asseoir à ses côtés, regardant elle aussi la pierre pendant qu'il l'inspectait minutieusement.

— Nous y voilà, dit-il d'un ton solennel. C'est ici que nous devions venir. C'est sa dernière demeure. Ton ancêtre.

— Alors, demanda Caitlin d'un ton incertain, c'était ma *mère* que nous cherchions pendant tout ce temps?

— Je ne sais pas, répondit Caleb. C'était peut-être *elle* qui était vampire. Ou encore celui qu'elle avait épousé.

— Mais..., commença Caitlin, toujours déconcertée. Est-ce que ça veut dire qu'ils sont morts? Où sont-ils toujours vivants?

Caleb secoua lentement la tête.

— Je ne sais pas, dit-il enfin.

Il sortit le rouleau et lut encore une fois : *Et trouvent ceux qu'ils aiment à côté de la quatrième branche de la croix.* Il regarda autour du cimetière.

— Ce doit être le bon endroit. Ici se trouvent « ceux qu'ils aiment ». Ce doit assurément être la quatrième branche de la croix. Je ne vois aucun autre endroit, dit-il en inspectant le terrain du regard. Mais je ne vois aucun indice pouvant nous conduire à l'épée. Et toi?

Caitlin survola le petit cimetière du regard, tandis que le soleil prenait la teinte du sang. Elle soupira. Non. Elle ne voyait rien.

Puis quelque chose lui frappa l'esprit.

— Lis-le encore une fois, dit-elle. Lentement.

— Et trouvent ceux qu'ils aiment, lut-il lentement, à côté de la quatrième branche de la croix.

— *À côté*, répéta-t-elle avec une lueur dans le regard.

— Quoi?

— *À côté* de la quatrième branche de la croix. Pas *sous* la quatrième branche de la croix. *À côté*, dit-elle.

Ils se retournèrent soudainement, en même temps, pour observer le grand édifice de pierre qui se trouvait à côté d'eux.

King's Chapel, la chapelle du roi.

Une fois qu'ils furent entrés dans l'église vide, Caleb referma rapidement la porte massive derrière eux. Elle claqua, le bruit se répercutant dans la salle. L'église était fermée et la porte verrouillée lorsqu'ils étaient arrivés, mais Caleb l'avait forcée en utilisant sa force surhumaine. Ils étaient maintenant seuls dans la place.

Tandis qu'ils marchaient dans la petite chapelle magnifique, la lumière du soleil couchant filtrait par les vitraux. Caitlin ressentit aussitôt un sentiment de paix. C'était un endroit douillet et chic, les bancs d'église étant séparés en compartiments familiaux et couverts de velours rouge. Parfaitement conservé. Elle avait l'impression de se trouver à une autre époque.

Caleb marchait à côté d'elle, et ils examinèrent lentement les environs. Le calme régnait dans l'endroit.

— Elle est ici, dit-il. Je peux la sentir.

Et pour la première fois, Caitlin pouvait également la sentir.

Elle remarqua qu'elle commençait à ressentir plus fortement les choses, et elle pouvait sentir la présence de l'épée ici. Elle était électrisée. Elle ne savait pas ce qui l'excitait le plus : que l'épée soit ici, ou qu'elle puisse la sentir elle-même.

Caitlin posa Rose au sol et marcha dans l'allée recouverte de moquette, essayant d'utiliser ses sens aiguisés pour sentir où elle pouvait se trouver. Ses yeux se rivèrent sur la chaire.

À l'autre bout de la chapelle, un petit escalier de bois circulaire magnifique montait jusqu'à la chaire. Ça semblait être un endroit où les pasteurs avaient adressé leurs sermons pendant des siècles. Pour une raison ou une autre, elle se sentit attirée par lui.

— Je le sens aussi, dit Caleb.

Elle se tourna pour le regarder.

— Vas-y, dit-il. Monte. C'est *ton* épée. C'est *ton* héritage.

Elle s'avança dans l'allée et grimpa lentement l'escalier circulaire. Rose marchait avec elle, et resta au bas des marches. Elle surveilla ce que faisait Caitlin. Elle poussa un faible gémissement.

Caitlin arriva au sommet. C'était une petite tribune, à peine assez grande pour que puisse s'y tenir un pasteur. Elle inspecta les boiseries, se demandant où l'épée pouvait être cachée. Il n'y avait aucun signe évident, juste une balustrade de bois, à la hauteur de sa poitrine, bâtie en forme semi-circulaire. Elle sentit le bois lisse, poli par des siècles d'usage, mais ne vit aucun compartiment ou tiroir, rien d'évident.

Puis, elle l'aperçut.

Il y avait une légère impression sur le bois, quelque chose qui avait été peint dessus. La forme d'une croix minuscule. Environ de la taille de la croix qu'elle portait.

Elle gratta la marque, et ôta plusieurs couches de peinture. Il y avait bel et bien un trou de serrure.

Elle ôta son collier et inséra la croix. Elle s'ajusta parfaitement.

Elle la tourna en produisant un léger clic.

Elle tira, mais il ne se passa rien. Elle tira plus fort et entendit la peinture craquer. Les gonds avaient été complètement recouverts de peinture. Elle tira encore plus fort, en grattant la peinture. Elle put glisser ses doigts suffisamment pour avoir une prise sur le couvercle et tira fort. Elle put commencer à voir la silhouette d'un long compartiment étroit. Elle tira encore.

Le couvercle s'ouvrit.

L'air renfermé depuis des siècles lui sauta au visage avec un nuage de poussière.

Lorsque la poussière retomba, ses yeux s'écarquillèrent.

Elle était là.

L'épée.

Elle était renversante. Couverte d'or et de bijoux depuis la poignée jusqu'à la pointe. Elle pouvait sentir sa puissance. Elle avait presque peur d'y toucher.

Elle tendit les mains pour la prendre avec révérence.

Elle posa délicatement une main sur la poignée et l'autre sur le fourreau. Elle la tira délicatement, avant de l'exhiber à Caleb.

Elle put voir ses bras en tomber.

Elle tint fermement le fourreau et en sortit l'épée, qui produisit un bruit métallique léger et élégant. Elle exhiba la lame. Elle était faite d'un métal que Caitlin ne connaissait pas, et elle brillait d'une manière inouïe.

L'énergie qui en émanait était renversante. Ça donnait la sensation d'une onde électrique, qui se propageait dans sa main, puis dans son bras.

Avec cette épée, elle sentait qu'elle pourrait accomplir n'importe quoi.

Samantha freina brusquement en faisant crisser les pneus, pour immobiliser la BMW directement devant King's Chapel. Abandonnant la voiture au milieu de la route, elle bondit hors du véhicule. Sam l'imita de l'autre côté de la voiture.

Les klaxons se mirent à corner.

— Hé, m'dame, vous ne pouvez vous stationner là, cria un agent de police en s'approchant d'elle.

Samantha lui aplatit son poing directement sur le nez, l'assommant sur le coup. Le policier tomba sur ses genoux, inconscient. Avant qu'il ne s'écroule, elle réussit à tirer son révolver de l'étui.

Sam restait planté là, bouche bée.

— Merde alors..., commença-t-il à dire.

Mais avant qu'il ne puisse finir, elle l'attrapa par le collet et le souleva du sol.

Avant qu'il ne comprenne ce qui se passait, elle le tint dans les airs, le traîna dans l'escalier, puis s'approcha de la porte de la chapelle du roi.

— Samantha! s'écria-t-il. Qu'est-ce que tu...

Traînant Sam, elle ouvrit la porte de l'église toute grande en lui donnant un coup de pied, et s'engouffra à l'intérieur.

— PAS UN GESTE! hurla-t-elle.

Samantha se tenait dans l'allée de la chapelle du roi, tenant Sam en otage de la main gauche et pointant le révolver sur sa tempe de la main droite.

Samantha leva les yeux et aperçut cette fille — Caitlin — qui se tenait en haut de la chaire, tenant l'épée. Son épée. L'épée dont elle avait besoin.

En retrait, elle aperçut un autre vampire. Celui qui avait trahi son cercle. Caleb.

Devant elle, dans l'allée, il y avait un louveteau qui grondait.

— Jette l'épée, cria Samantha, sinon je tue ton frère.

Sam se débattit pour se libérer, mais il n'était pas de taille à lutter avec elle.

— Je t'en prie, implora Sam, ne fais pas ça. Pourquoi fais-tu ça?

Samantha remarqua que Caitlin hésitait. Elle ne savait que faire. Elle regarda en direction de Caleb, comme si elle voulait lui demander conseil.

— Ne lui donne pas l'épée, dit Caleb d'un ton ferme.

— Si tu ne le fais pas, je le tue! cria Samantha. Je le jure!

— Sam? appela Caitlin.

— Je suis désolé, Caity, gémit Sam. Je t'en prie. Donne-lui l'épée. Ne la laisse pas me tuer.

Un silence lourd de menace pesa sur la pièce, pendant que Caitlin débattait manifestement la question.

Rose commença à gronder, s'avançant lentement vers Samantha.

— O.K., cria enfin Caitlin. Si je te donne l'épée, tu le laisses partir?

— Oui. Jette-la par terre, ordonna Samantha. Lentement.

Caitlin hésita encore.

Puis, soudainement, elle jeta l'épée.

Elle atterrit sur le sol en produisant un bruit métallique, au centre de l'allée. À mi-distance entre elle, Caleb et Samantha.

Au même moment, Rose fonça sur Samantha.

Et Samantha visa et tira sur Rose.

Il y eut soudainement un fracas à la porte, puis Kyle et Sergei foncèrent dans l'église à la vitesse de la lumière.

Dans cette pièce où régnait déjà l'agitation, cette irruption prit tout le monde par surprise.

Kyle tira avantage de la confusion qui régnait.

Avant que quiconque ne puisse réagir, il fonça dans l'allée et réussit à assommer Sam et Samantha d'un seul coup de poing. Le révolver tomba en tournoyant sur le sol.

Caleb ne perdit pas une seconde. Il bondit vers l'épée, qui était restée par terre.

Mais Kyle l'avait également aperçue et partait en flèche derrière lui.

Avant que Caleb ne puisse l'attraper, Kyle sauta sur lui, le frappant dans le dos avec son coude et le projetant au sol.

Kyle atterrit sur lui, et les deux, de force égale, commencèrent à lutter, à quelques pas de l'épée.

Sergei profita de la confusion. Il courut dans l'allée, se précipitant lui-même vers l'épée.

Caitlin resta d'abord pétrifiée, puis elle se jeta dans la mêlée. Elle devait sauver Caleb. Kyle avait le dessus, essayant de lui enfoncer les pouces dans les yeux.

Elle bondit de la chaire, fendant l'air et atterrissant cinq mètres plus bas, sur le plancher de l'église. Elle courut vers Kyle et lui assena un violent coup de poing dans les côtes, juste à temps, pour le dégager de Caleb.

Et soudainement, sans avertissement, Caitlin ressentit une douleur fulgurante.

Elle hurla de douleur, tandis qu'elle sentait le métal froid perforer son dos, sa peau, ses intestins, ressortant par l'estomac, puis s'éclipsant aussitôt.

En tombant sur ses genoux, elle put sentir le sang lui remonter à la gorge, puis jaillir entre ses dents pour s'écouler sur son menton.

Malgré la douleur atroce, elle regarda sa blessure. Elle comprit qu'elle avait été frappée par derrière. Dans le dos. Par l'épée.

— NON! sanglota Caleb, se tournant vers elle et se précipitant pour l'aider.

Caleb était si préoccupé qu'il ne remarqua pas Sergei, qui se tenait au-dessus de lui, brandissant l'épée sanglante, satisfait de son travail, un sourire diabolique plaqué sur le visage.

— Tu m'as tué avant mon temps, dit-il d'une voix rageuse à Caitlin. Maintenant, je t'ai rendu la pareille.

Sergei battit soudainement en retraite, fonçant dans l'allée de l'église.

Kyle lui emboîta le pas et courut derrière lui, passant par la porte d'entrée.

Tandis qu'ils la dépassaient, Samantha reprit conscience. D'un geste rapide, elle empoigna Sam, qui était toujours inconscient, le déposa sur son épaule et leur donna la chasse.

L'église était maintenant vide, à l'exception de Caitlin et Caleb. Sans oublier Rose, qui était couchée sur le côté, saignant et gémissant.

— Caitlin! cria Caleb en la tenant par les épaules.

Il se pencha sur elle, caressant son visage, et put sentir les larmes qui coulaient sur ses joues.

Il était si bouleversé de la voir blessée qu'il en avait oublié l'épée. Une partie de son esprit savait néanmoins que les autres avaient quitté le bâtiment, qu'ils prenaient la fuite, et qu'ils avaient l'épée. L'épée qu'il avait juré de protéger durant toute sa vie.

Mais maintenant, Caitlin était sa seule préoccupation. Elle reposait sur le sol, perdant son sang, agonisant.

Pendant qu'elle reposait sur le dos sur le plancher de l'église, Caitlin sentit le monde devenir glacial. Elle ressentait une douleur insoutenable dans le dos et à l'estomac. Elle sentait qu'elle perdait rapidement son sang, et percevait à peine les mains de Caleb qui caressaient son visage et soutenaient son cou.

Elle regarda en haut et aperçut le toit de l'église. Puis Caleb. Elle vit son visage magnifique, penché sur elle.

Elle savait qu'elle était en train de mourir. Mais en dépit de tout, en dépit de la douleur, de la mort qui la guettait, elle ne ressentait aucune tristesse. Non, elle était seulement peinée à l'idée de ne plus être avec lui.

— Caitlin, sanglota Caleb. Je t'en prie. Ne t'en va pas. Ne m'abandonne pas!

Il pleurait en la berçant.

Caitlin plongea son regard dans ses grands yeux, qui avaient maintenant une teinte sombre, et essaya de se fixer sur eux.

Ne t'en va pas.

Mais elle en était incapable.

— Caitlin, dit-il entre ses larmes. Je veux que tu le saches. Je le vois maintenant. Je sais qui nous étions ensemble. Dans nos vies passées. Maintenant, je peux tout voir, dit-il.

Caitlin essaya de parler, tenta de trouver les mots, mais ses cordes vocales refusaient de remuer. Sa gorge était si sèche, et le sang déformait tout. Elle essaya de rassembler toutes ses forces, mais put à peine murmurer.

— Quoi? demanda Caleb, se penchant plus près. Répète-le.

Il se pencha complètement, posant son oreille près de ses lèvres.

— Transforme-... moi, dit-elle.

Il lui jeta un regard horrifié, incertain de ce qu'il venait d'entendre.

En utilisant ses dernières forces, Caitlin l'agrippa par le gilet, le tira à elle autant qu'il lui était possible.

— Transforme-moi! ordonna-t-elle.

Ce fut vraiment son dernier sursaut d'énergie.

Comme ses yeux se refermaient, elle sentit le monde se dérober sous elle.

La dernière chose qu'elle vit, c'était Caleb qui se rapprochait, se rapprochait, ses deux dents antérieures s'allongeant, s'allongeant pendant qu'il se penchait.

Puis elle sentit la douleur exquise pincer son cou, tandis que les deux dents perforaient sa peau.

Puis son monde sombra dans la noirceur.

Les faits et la fiction

FAIT :

À Salem, en 1692, une douzaine de jeunes filles, nommées les « possédées », furent atteintes d'une maladie mystérieuse qui les rendit hystériques et les amena, indépendamment l'une de l'autre, à hurler que des sorcières de la région les tourmentaient. Cela entraîna le procès des sorcières de Salem. La maladie mystérieuse ayant frappé ces jeunes filles demeure à ce jour inexpliquée.

FAIT :

L'œuvre la plus célèbre de Nathaniel Hawthorne, *La Lettre écarlate*, s'inspire de la vie d'une femme réelle, Élizabeth Paine, qui a vécu à Salem, et qui a été punie pour avoir refusé de révéler l'identité du père de son enfant.

FAIT :

Nathaniel Hawthorne ne s'est pas contenté d'écrire sur Salem : il y vécut longtemps, et descendait de plusieurs générations de résidents de Salem. Son arrière-grand-père fut l'un des juges assesseurs principaux au procès des sorcières de Salem. La maison de

Hawthorne a été préservée, et est toujours en parfait état à Salem aujourd'hui.

FAIT :
À Boston, au XVIIe siècle, des sorcières furent pendues en haut de la colline de Beacon common.

FAIT :
Élizabeth Paine est enterrée dans le cimetière de King's Chapel, à Boston. Sa pierre tombale est visible, dans la première rangée de tombes, à côté de la chapelle.

Pour voir des images de certains sites du roman, visitez www.morganricebooks.com.

Ne manquez pas
le tome 3 de

Souvenirs d'une
Vampire

Tome I

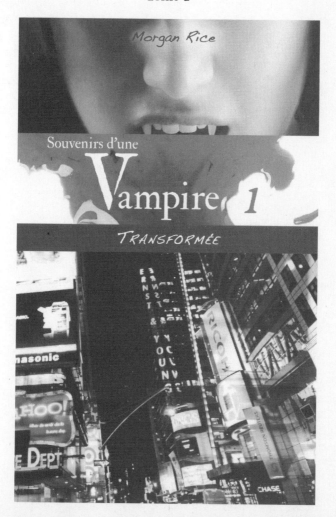

ADA
éditions

www.ada-inc.com
info@ada-inc.com

www.facebook.com/EditionsAdA

www.twitter.com/EditionsAdA